Cocina rica y sabrosa para diabéticos

Josep Dalmau Riera

COCINA RICA Y SABROSA PARA DIABÉTICOS

De Vecchi
DV E
ediciones

Fotografías de Nestlé (lámina "Huevos revueltos con jamón y champiñones" y "Sopa de guisantes") y archivos De Vecchi.

© De Vecchi Ediciones, S. A. 2011
Diagonal 519-521, 2º - 08029 Barcelona
Depósito Legal: M. 15.665-2011
ISBN: 978-84-315-5109-4

Editorial De Vecchi, S. A. de C. V.
Nogal, 16 Col. Sta. María Ribera
06400 Delegación Cuauhtémoc
México

Índice

Introducción

El propósito de este libro es ofrecer al lector una guía práctica y amena para la alimentación cotidiana, y convertir así la cita ineludible con la mesa y el mantel en un encuentro con los sentidos, el paladar y los sabores de la naturaleza (es decir, en hacer de cada comida un punto de encuentro entre el placer de alimentarse y una nutrición saludable).

Son recetas sencillas, en muchos casos rescatadas de los fogones de nuestros ancestros para adaptarlas a ese ritmo de vida trepidante que impone el nuevo milenio. Son esas mismas recetas que conforman la, cada vez más alabada, cocina mediterránea.

En este volumen, se ofrecen las pautas para ayudar a que la dieta diaria de los diabéticos no quede limitada a una monótona rutina de lo que se conoce como *comida de régimen*. Y no sólo eso: las recetas que aquí se presentan resultan idóneas para los afectados de diabetes, pero también para toda la familia.

Las dietas que se recomiendan a las personas diabéticas son, sobre todo, dietas sanas con una única restricción: el azúcar en todas sus formas. Además, la ingestión de grasas ha de ser mínima. A continuación, explicaremos de forma sencilla qué es la diabetes, los diferentes tipos y sus posibles complicaciones; seguidamente, haremos referencia a la dieta, que es el pilar básico para el control de la enfermedad.

La diabetes: qué es y cómo se manifiesta

La diabetes es una vieja conocida de la humanidad y, si bien su naturaleza y causas siguen siendo objeto de investigación en la actualidad, sus síntomas clínicos se encuentran descritos en el papiro de Ebers hace ya tres mil quinientos años.

La palabra *diabetes*, que en griego significa «correr a través», se debe al estudioso Aretaus, que en el siglo II a. de C. observó algunas de las manifestaciones más llamativas de la enfermedad: el incremento de la sed y de la orina. En el año 1675, Thomas Willis amplió la descripción de la sintomatología, afirmando que la orina de esos pacientes tenía un olor y sabor dulce, «como si estuviera impregnada de azúcar o miel». Años más tarde se confirmó que esa orina contenía, efectivamente, más azúcar, y que esto se debía a un aumento de los niveles de este en la sangre. Así fue como se inició con más o menos fortuna el tratamiento dietético de la *Diabetes mellitus*.

Con el transcurso de los años, la enfermedad se fue conociendo cada vez más: se comprobó que existía una predisposición familiar para ciertos tipos de diabetes, se vio que no todas son iguales y se descubrió el papel que juega la insulina en el tratamiento. Sin embargo, el tratamiento con esta hormona no se ha iniciado hasta la mitad del siglo XX, y con él ha cambiado de forma radical el pronóstico de los diabéticos jóvenes: de dos años de esperanza de vida antes del empleo de la insulina se ha pasado a una esperanza de vida casi normal en la actualidad.

Existen diferentes tipos de diabetes, aunque todas tienen en común la *hiperglucemia* (es decir, la existencia de niveles de azúcar en sangre por encima de lo deseable).

También todas ellas presentan:

— unos síntomas que afectan al metabolismo: aumento de la sed, del apetito y de la orina;
— otros síntomas que afectan al sistema circulatorio, produciendo problemas en los vasos del corazón, riñones, cerebro o retina (de ahí, la creencia popular de que la diabetes produce ceguera, ya que se trata, efectivamente, de una consecuencia que se da en algunos diabéticos por el deterioro de los vasos de la retina ocular).

No hay que pensar que por ser diabético se han de padecer todas las complicaciones asociadas, ya que son muchos los afectados que simplemente —y no es poco— padecen la hiperglucemia y el síndrome metabólico. En cualquier caso, seguir una dieta adecuada se convierte en un factor determinante a la hora de prevenir la aparición de complicaciones, mantener un buen nivel de vida y gozar de una salud prácticamente normal.

En la diabetes tipo I, la causa de los valores altos de glucosa en sangre está en la falta total o parcial de insulina, porque las células del páncreas que la fabrican dejan de hacerlo. Contrariamente, la diabetes de tipo II se debe a un fallo en la acción de la insulina, debido a que las células del organismo la reconocen mal. Se ha comprobado que la obesidad juega un papel importante en ese fallo de reconocimiento celular.

Tipos de diabetes

A partir de los síntomas comunes se han ido identificando distintos tipos de diabetes. En el siguiente cuadro, se aprecian sus características y diferencias principales.

TIPOS PRINCIPALES DE DIABETES		
Diabetes	*Tipo I (insulinodependiente)*	*Tipo II (no insulinodependiente)*
Causas predisponentes	genéticas	obesidad
Edad de aparición	antes de los 30 años	a partir de los 40 años
Curso de presentación	rápido	lento (años)
Tratamiento principal	insulina	dieta
Tratamiento secundario	dieta + ejercicio moderado	ejercicio moderado + + (insulina)

• La diabetes tipo I se conoce también como *diabetes juvenil* o *insulinodependiente*. Aparece frecuentemente antes de los treinta años, y se inicia con relativa rapidez (unos meses o unos años); requiere tratamiento con insulina.

• La diabetes tipo II se conoce también como *diabetes del adulto* o *no insulinodependiente*. Aparece frecuentemente después de los cuarenta años, se inicia de forma lenta y gradual (años) y no necesita tratamiento con insulina: se puede controlar bien simplemente con la dieta. Este tipo de diabetes se da más entre personas obesas (esto es, aquellas cuyo peso real supera en más del 10 % el peso considerado ideal para su edad y constitución).

El hecho de que la diabetes tipo I responda a la insulina no significa que no haya que seguir una dieta adaptada; al contrario, en todas las formas de diabetes la dieta es la pieza clave de éxito o fracaso del tratamiento. En otras palabras, la dieta es determinante del grado de salud.

• Diabetes de gestación o *gestacional*: es aquella que afecta a mujeres no diabéticas en su vida normal, pero que presentan los síntomas típicos de la diabetes durante todo el embarazo o parte de él. Es decir, se trata de mujeres normales que sufren por primera vez esta enfermedad a causa del embarazo. Suele afectar al 2 % de las embarazadas, y es muy importante que se detecte pronto, ya que puede afectar al desarrollo del feto. El ginecólogo es el que debe valorar la situación en cada caso, estableciendo la curva de glucemia a las 20 y 32 semanas de gestación, en mujeres con antecedentes o situaciones de riesgo, como la obesidad.

Es habitual que la diabetes gestacional desaparezca tras el parto, y que la madre vuelva a la normalidad que presentaba antes del embarazo.

Tratamiento de la diabetes. El papel de la dieta

Desde el punto de vista médico, el tratamiento de la diabetes presenta un cuádruple objetivo:

— normalizar el metabolismo (esto es, acercar los niveles de glucosa contenidos en la sangre a la normalidad; controlar el exceso de sed, apetito y emisión de orina);
— prevenir y evitar la aparición de complicaciones;
— conseguir una buena adaptación psicológica del paciente;
— conseguir tener una buena calidad de vida.

El primer punto, constituye la base sobre la que se asentarán los otros tres, aunque, como se verá, el éxito del tercer objetivo puede afectar positiva o negativamente a la normalización metabólica.

En las diabetes que dependen de la insulina, el tratamiento con esta hormona es imprescindible para que el paciente lleve una vida sana, feliz y con las menores complicaciones posibles. Sin embargo, si el tratamiento con insulina no se acompaña de la dieta adecuada, este objetivo no se verá cumplido.

Como indican los tratados de medicina, la dieta constituye el pilar principal del tratamiento de la diabetes, especialmente a medio y largo plazo.

Si bien la dieta debe adaptarse siempre a cada paciente, las reglas generales son comunes para todos. Es fácil comprender que la dieta no será igual para un joven de 12 años con diabetes, que para un adulto de 65 años con diabetes e hipertensión asociada. A continuación, veremos esto con más detalle.

La normalización del metabolismo

Se sabe con certeza que la recuperación de niveles normales de azúcar contenido en la sangre dependen de las relación que cada persona establece entre la cantidad de insulina, la dieta que siga, el ejercicio que realice y el estado de ánimo en que se encuentre. (Véase el gráfico adjunto.)

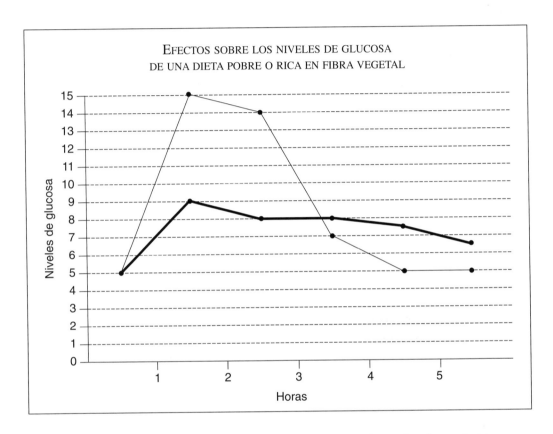

EFECTOS SOBRE LOS NIVELES DE GLUCOSA DE UNA DIETA POBRE O RICA EN FIBRA VEGETAL

Ejercicio y diabetes

Hoy en día, existe una opinión generalizada en nuestra sociedad de que la práctica regular del ejercicio físico es muy sana y favorable para el organismo. Sin embargo, en medicina siempre debe recordarse la antigua máxima de que «no hay enfermedades, sino enfermos» para indicar que cada caso es distinto y que lo que vale para uno no tiene por qué valer para otro.

En el caso de la diabetes, la práctica del deporte es beneficiosa para aquellos diabéticos que tienen la glucemia bien controlada. Sin embargo, en personas mal controladas, la práctica de un ejercicio intenso puede provocar un aumento de los niveles de glucosa que el músculo es incapaz de aprovechar.

Realizar una actividad física con moderación y de forma periódica y constante hace que aumente la sensibilidad de las células a la insulina y, en consecuencia, esta práctica resulta beneficiosa para los afectados por diabetes tipo II e insulinoresistentes.

Con la ayuda del médico, el ejercicio debe adaptarse a cada paciente. Para un sexagenario, un buen paseo diario puede ser el mejor ejercicio, mientras que en personas jóvenes se recomienda la práctica de deportes de esfuerzo intensivo.

La adaptación psicológica

En toda afección, la aceptación y la disposición psicológica son determinantes en el tratamiento de la enfermedad, en su evolución y en cómo influirá en la calidad de vida del enfermo a lo largo del tiempo.

El diabético debe recibir información de su médico de cabecera o especialista sobre el tipo de enfermedad que padece, el tratamiento que se le va a facilitar y cómo afectará la enfermedad a sus actividades cotidianas. Es muy importante que acepte dos hechos claves en relación con su enfermedad:

— se trata de una enfermedad crónica que difícilmente se cura (es decir, la persona diabética deberá aprender a convivir con su afección porque le va a acompañar toda la vida);
— el éxito o fracaso del tratamiento depende de forma casi exclusiva del paciente. El facultativo debe establecer las pautas terapéuticas individualizadas, pero el responsable de que estas funcionen es el propio diabético (la administración correcta de insulina, el seguimiento de una dieta adecuada, los paseos diarios, etc., son cosas que sólo puede hacer el propio interesado).

Para aceptar esa convivencia forzada con la enfermedad, el diabético debe saber qué significa esta y cómo hoy en día la conjugación de medicación, dieta, ejerci-

cio y estado de ánimo le pueden permitir llevar una vida prácticamente normal.

No cabe duda de que a nadie le gusta padecer una enfermedad, por inmejorable que sea el tratamiento que esta tenga. Sin embargo, no queda más remedio que aceptar esa realidad, ya que negarla sólo genera frustración y un empeoramiento a medio plazo del estado de salud.

Sin tratamiento, o con un tratamiento mal llevado, la calidad de vida se deteriora con rapidez. Hay que tener en cuenta que algunas de las complicaciones de la diabetes (ceguera, afectación de los vasos del corazón o del riñón, etc.) pueden ser incluso peores que la propia enfermedad, y que la mejor manera de evitar, retrasar o atenuar esos efectos es tratar correctamente la causa primera: la hiperglucemia.

Con la aceptación de la diabetes surge la voluntad de seguir el tratamiento para disfrutar al máximo de una vida plena.

EL ESTRÉS

Es otro factor que contribuye a agravar aún más la diabetes.

La ansiedad motivada por la frustración produce un incremento en sangre de las hormonas del estrés, la más conocida de las cuales es la cortisona, que tiene como una de sus misiones más relevantes provocar la liberación de glucosa en sangre. En otras palabras: para una persona diabética, las situaciones de estrés prolongado (semanas o meses) no hacen sino agravar la hiperglucemia, el síntoma principal de la diabetes.

No se puede pretender reducir el estrés a cero o evitar cualquier tipo de situación de angustia a niños o ancianos diabéticos, ya que hay hechos inevitables como la muerte de seres queridos, cambios de domicilio, pérdida de un amigo, etc., que son normales en cualquier experiencia vital del ser humano. Pero sí que se puede y se debe reducir la ansiedad que genera el saberse afectado por una enfermedad larga y que va a requerir siempre, en mayor o menor grado, un tratamiento. De la propia familia ha de surgir la ayuda para que la persona diabética aprenda a valorar los aspectos positivos de su situación y, especialmente, entienda que de sí misma depende disfrutar al máximo de la vida.

Importancia de la dieta y errores en su seguimiento

OBJETIVOS

La dieta en la persona diabética tiene como objetivo fundamental regular los niveles de glucosa en sangre (glucemia), manteniéndolos dentro de valores normales.

Dado que el organismo de un diabético tarda más en reaccionar a la ingestión de azúcar, conviene que se haga de la forma más lenta y suave posible. El intestino absorbe de manera muy rápida los azúcares simples, como la glucosa. De forma rápida se absorben los azúcares sencillos, que deben transformarse primero en glucosa: la sacarosa del azúcar, la fructosa de la miel y las frutas, la galactosa de la leche.

De forma lenta se absorben los hidratos de carbono complejos, como el almidón, presente en los cereales, las patatas y las legumbres.

La fibra está formada por hidratos de carbono complejos que no pueden ser absorbidos por el intestino. No sólo no se absorben, sino que además, bien combinados, retrasan o disminuyen la absorción de otros alimentos como las grasas, el azúcar o el hierro.

ERRORES EN EL SEGUIMIENTO DE LA DIETA

La dieta es fundamental en el tratamiento de la diabetes y, no obstante, es también el aspecto que más falla en la lucha contra esta enfermedad. Las causas son varias:

1. La falta de información: el paciente no ha sido convenientemente informado sobre el papel decisivo que juega llevar una alimentación correcta en el tratamiento de su enfermedad y en la prevención de las complicaciones asociadas;

2. La sobrevaloración de las pastillas: suele ser bastante común que el enfermo valore mucho más la terapéutica basada en inyecciones, comprimidos o jarabes, que la prescripción de una «simple» dieta. En ocasiones, el diabético al que el facultativo receta sólo un tratamiento dietético se siente desatendido, como si no se hubiera tomado en serio su enfermedad. No es infrecuente que ese mismo paciente crea que si su afección no es merecedora de un tratamiento de primera (esto es, con jeringuilla o pastillas) es que realmente sufre sólo algo de poca importancia y, en consecuencia, a los pocos días abandona la dieta.

3. La monotonía y el aburrimiento de la dieta: esta es la sensación que tienen muchos diabéticos ante la dieta que se les ofrece. Seguir un régimen a base de pollo o pescado a la plancha y arroces hervidos, proporciona al enfermo la sensación de llevar una vida poco atractiva en la que no vale la pena esforzarse. Es entonces cuando este hace suya la máxima de que más vale vivir cuatro días comiendo de todo que ocho siguiendo ese régimen. Sin embargo, como veremos luego, las prohi-

biciones reales que existen para los diabéticos son muy pocas, y en el recetario se brindan soluciones para romper con la monotonía de la dieta. Es muy importante que estos pacientes comprendan que, tal como evoluciona la diabetes, el hecho de romper con una alimentación sana no hace sino precipitar el agravamiento de la enfermedad, y provocar que entonces sí se haga necesario instaurar una dieta espartana. Por otra parte, hay que tener en cuenta que las prohibiciones no son las mismas para una persona con diabetes simple que para otra con diabetes e hipertensión.

4. La información errónea: por desgracia, abundan las informaciones falsas o cuando menos erróneas sobre cuál debe ser la dieta ideal para un diabético; estas van desde la idea de que se tiene que seguir necesariamente una dieta monótona a las prohibiciones de alimentos aconsejables, o a la recomendación de alimentos que no deberían entrar (o que deberían hacerlo sólo excepcionalmente), en la alimentación cotidiana de personas con diabetes. Algunos de estos errores se detallan a continuación:

— El arroz, la pasta y el pan: los derivados de los cereales son ricos en almidón, complejo que está formado por la unión de moléculas de glucosa (de ahí que hace bastantes años algunas corrientes de la medicina incluyeran en la lista de prohibiciones estos alimentos). Sin embargo esta prohibición no es correcta, ya que los hidratos de carbono complejos son los que más ayudan a conseguir unos niveles de glucemia moderados a lo largo de la vida del paciente. Se acepta que aproximadamente el 55 % de la energía de los alimentos debe proceder de las aportaciones de hidratos de carbono complejos.

— La miel: en determinados círculos dietéticos, especialmente en los de base naturista y vegetariana, se ha atribuido a la miel un sinfín de cualidades que la han convertido en un producto casi mágico. A pesar de que el consumo de miel es mejor que el del azúcar refinado, porque aporta algunas vitaminas, este alimento no deja de ser una mezcla de azúcares simples, especialmente glucosa y fructosa.

— La fructosa: también llamada _azúcar de la fruta_ o _azúcar para diabéticos_. La fructosa es un azúcar simple que se convierte en glucosa de forma rápida en la misma membrana de las células del intestino. Es decir, al sustituir la glucosa por fructosa lo único que se hace es retrasar la formación de la primera, pero no evitarla. La rapidez con que se da este paso dependerá de las condiciones en las que se hace: con el intestino vacío o después de la comida, con una dieta rica en grasas o rica en fibra. Por eso, el lector encontrará recetas que emplean fructosa, pero en condiciones que retardan su conversión: en los postres, en recetas bajas en grasa y ricas en fibra y otros hidratos de carbono complejos.

— La leche: los hidratos de carbono de la leche están formados básicamente por galactosa, una sustancia resultante de la unión de una fructosa y una glucosa. Al llegar al intestino, la galactosa se divide en sus dos componentes y estos son arrastrados por la sangre. Esto debe ser tenido en cuenta a la hora de tomar leche sola o acompañarla con azúcar o derivados del cacao, que ya de por sí son azucarados. Sin embargo, si la leche forma parte de una receta bien equilibrada en cuanto a fibra e hidratos de carbono complejos se logra el mismo efecto retardante —beneficioso— que el que se explicaba para la fructosa.

Las bases de la dieta para diabéticos

En ausencia de complicaciones asociadas a la diabetes, la única prohibición que debe establecerse de entrada es la de los azúcares simples: el azúcar común (sea blanco o moreno), la miel y los productos que contienen azúcar en grandes cantidades (pasteles, refrescos, etc.).

Si la diabetes se presenta asociada a obesidad, el médico prescribirá una dieta hipocalórica, ya que la pérdida de peso es esencial para la mejora del estado general del paciente. La vuelta al peso normal hace que aumenten los receptores celulares para la insulina y, con ello, aumenta la eficacia de esta hormona tan importante en la regulación de la glucemia.

Una vez suprimidos los azúcares, los otros grupos de alimentos deben ser los de la dieta normal, aunque en cantidades controladas. Es de especial interés tener en cuenta el balance calórico, los hidratos de carbono, las proteínas y las grasas que contienen los alimentos que se incluyen en la dieta.

salud y la idiosincrasia del paciente en particular).

En aquellos casos en que sea necesario perder peso (sobrepeso superior al 10 % del peso ideal), deberá ser el médico o el endocrino quien marque la pauta a seguir.

Para diabéticos sin complicaciones, la dieta debe ser prácticamente normal: un 55 % de las calorías han de proceder de los hidratos de carbono (con la salvedad ya comentada de los azúcares). Las proteínas han de aportar un 15-20 % de la energía y las grasas el 25-35 % restante.

Hace algunas décadas se recomendaban dietas más ricas en grasas y proteínas y más pobres en hidratos de carbono, por la confusión que existía entre la glucosa de los azúcares y la glucosa de los hidratos de carbono complejos. Una dieta más rica en proteínas y grasas lleva asociados riesgos como el colesterol y la formación de ateromas (origen de la arteriosclerosis, embolias o infartos). Además, el exceso de carne y grasas no impide que el organismo acabe fabricando también glucosa a partir de ellos.

Por el contrario, las dietas ricas en carbohidratos complejos se han mostrado especialmente útiles en el control de cualquier tipo de diabetes y, especialmente, en las de tipo II del adulto.

El balance calórico

Existen multitud de métodos para calcular el peso ideal de un individuo. En todo caso, hay que consultar con un médico antes que hacer caso de las máquinas automáticas que sólo tienen en cuenta la talla, el sexo y, en ciertos casos, la edad (el médico también valorará otros aspectos como la constitución, el estado de

Los hidratos de carbono

La persona diabética debe conocer las diferencias entre los distintos tipos de carbohidratos, ya que de ello dependerá en gran medida el éxito del tratamiento.

Existen hidratos de carbono de absorción intestinal muy rápida, rápida y lenta, como se puede ver en el siguiente cuadro:

Velocidad de absorción de los hidratos de carbono			
Alimento	_Muy rápida_	_Rápida_	_Lenta_
Sacarosa (azúcar blanco o moreno)	x	–	–
Miel, fructosa (frutas)	x	x	–
Lactosa (leche)	–	x	–
Almidón (pasta, arroz, pan)	–	–	x
Hidratos de carbono complejos (patatas, legumbres, hortalizas...)	–	–	x

Los hidratos de absorción lenta son la base de una aportación de glucosa sostenida, lo cual es esencial para un metabolismo que responde también de forma lenta a las variaciones de glucemia.

Los cereales como el arroz, el pan y las pastas alimenticias han de estar bien representados en la dieta, al igual que las hortalizas, las legumbres y las verduras (desde las patatas hasta las acelgas o las lechugas).

Además, las verduras son ricas en fibra, que actúan retardando la absorción de glucosa y disminuyendo la de grasa, con lo que son doblemente beneficiosas para las personas diabéticas (e, igualmente, para las que no lo son).

Miel y fructosa

Ya se ha hecho referencia a los efectos casi milagrosos que los naturistas atribuyen a la miel, rica en glucosa y fructosa. Por otra parte, el diabético que se acerque a cualquier tienda de productos de régimen, macrobióticos, etc., encontrará infinidad de productos con indicaciones del estilo de «apto para diabéticos», «tolerado por diabéticos», «chocolate para diabéticos», etc.

En muchos de estos productos, lo que se ha hecho es sustituir la glucosa o sacarosa (es decir, el azúcar normal) por la fructosa. Esto se hace con la mejor intención, porque, en primer lugar, la fructosa se asocia a la miel y a las frutas (con lo que se reviste de una etiqueta de «natural» de la que se priva al azúcar refinado o «industrial») y, por otro lado, la ya comentada conversión de la fructosa en glucosa a la hora de atravesar las paredes intestinales para llegar a la sangre hace que el paso no sea ni tan directo ni tan rápido como para la glucosa.

Sin embargo, una persona que padece diabetes debe tener presente siempre que todos los azúcares, sean naturales o industriales, se absorben de forma muy rápida o rápida, por lo que deben ser ingeridos en cantidades mínimas en la dieta cotidiana.

En segundo lugar, la persona con diabetes debe conocer sus limitaciones —señaladas por su médico— para saber hasta qué punto puede permitirse ciertos caprichos. _Si la diabetes no va asociada a otros problemas, la fructosa y la miel pueden entrar en la dieta pero hay que procurar que lo hagan de la forma menos perjudicial posible: en poca cantidad y nunca solas._

Proteínas

Las proteínas, en la dieta para personas diabéticas, deben reunir dos requisitos básicos: ser de buena calidad e ir asociadas a la menor cantidad de grasa posible. En este sentido, las proteínas de mejor calidad son las de origen animal (leche, quesos, carnes, pescado y huevos).

Las grasas

Constituyen la reserva de energía del organismo. Un gramo de grasas aporta nueve calorías, frente a las aproximadamente cuatro que aporta la misma cantidad de hidratos o proteínas.

La predisposición de los diabéticos a sufrir complicaciones cardiovasculares hace que sea necesario llevar un control estricto del tipo y naturaleza de las grasas ingeridas. Se limitarán las grasas animales por su riqueza en colesterol y ácidos grasos saturados, que predisponen a la formación de ateromas (depósitos grasos) en los vasos circulatorios. En este sentido, las carnes grasas, los embutidos y charcutería han de ser alimentos excepcionales. Las carnes magras de ternera, cordero lechal, pollo o el jamón cocido deben ser la base del aporte proteínico habitual. Los huevos se pueden tomar entre tres y cinco veces por semana.

Los aceites y las grasas han de ser consumidos siempre de forma muy controlada.

Alimentos trampa

La aparición de nuevos alimentos, las modas dietéticas y los cambios de hábitos de consumo han determinado la aparición de alimentos «trampa» para los diabéticos.

LOS ALIMENTOS _LIGHT_

La moda de la delgadez ha forzado a la industria alimentaria a buscar alimentos con menos calorías; para ello, el recurso más utilizado consiste en sustituir parte de la grasa por azúcar (1 g de grasa = 9 cal; 1 g de azúcar = 4 cal); así, se logra mantener la textura o el «cuerpo» del producto y reducir su valor energético, pero a costa de aumentar el contenido de azúcar.

LOS REFRESCOS Y SALSAS

Los refrescos están compuestos básicamente por agua, esencias y azúcares. Su uso debe restringirse al máximo.

Determinadas salsas también llevan azúcar añadido para mejorar su sabor. Esto se agrava en las natas, leche condensada, etc. El porcentaje de azúcar puede llegar a ser muy alto y afectar negativamente a una dieta equilibrada.

Las recetas que se presentan en este libro pretenden conseguir que las personas diabéticas puedan disfrutar también de la buena mesa. El lector encontrará aquí recetas sencillas y fáciles de realizar en casa.

Además de las valoraciones comunes a todos los volúmenes de esta colección (calorías, coste económico, tiempo de preparación y dificultad) se presenta también el grado de idoneidad de cada plato en una dieta para diabéticos (muy recomendable: aportación nula o muy baja de azúcares de absorción rápida; recomendable: aportación baja de azúcares de absorción rápida; esporádico: aportación media de azúcares de absorción rápida, por lo que el plato puede figurar en la dieta en días especiales pero no de forma habitual).

Recetario

Este recetario es el resultado de una amplia selección de platos que combina el buen sabor de los ingredientes escogidos con los mejores condimentos. De ahí que aparezcan indicados con un asterisco algunos consejos complementarios muy adecuados para mejorar la calidad de las comidas.

Leyenda

La estructura de cada una de las recetas responde a un afán por ordenar con claridad la información que se quiere transmitir, y por ello se representan con iconos los siguientes aspectos:

 Número de personas

Tiempo

 Dificultad

$ Valor económico

 Calorías por persona

 Grado de idoneidad de la receta

Entrantes

Entremeses

Cremas y sopas

Entremeses

Los entremeses son platos destinados a abrir el apetito al comenzar una comida. Normalmente son platos fríos, que se sirven en raciones pequeñas, por lo que su aporte energético y de fibra debería ser moderado.

Los hidratos de carbono de absorción lenta deben ser aportados por el pan, tanto blanco como integral y por las verduras que lo acompañan. La proteína debe ser de calidad y con poca grasa.

Brocheta campesina

👤	**4 personas**
🕐	**15 minutos**
👒	**Fácil**
$	**Medio**
⚖	**120 calorías**
✎	**Consumo esporádico**

1 pimiento verde
1 lata de cebollitas en conserva
Dados de pan blanco tostado
100 g de choricillo
Palillos redondos
Aceite de oliva virgen

1 Se lava el pimiento verde, y se corta en daditos.

2 Se corta un par de rebanadas de pan (blanco o integral) en dados aproximadamente el doble de grandes que los del pimiento.

3 En una sartén con un poco de aceite de oliva virgen se dora el pan.

4 Seguidamente, se pincha el embutido y se sofríe en la misma sartén.

5 Finalmente, se monta la brocheta en este orden: pan (en la base), pimiento, chorizo y cebollita.

Canapés de jamón y tomate

👤	**4 personas**
🕐	**15 minutos**
👒	**Muy fácil**
$	**Caro**
⚖	**120 calorías**
✎	**Recomendable**

8 rebanaditas de pan
4 lonchas (100 g) de jamón de Jabugo
2 tomates
Sal
Aceite de oliva virgen

1 En primer lugar, se sazonan las rebanadas, y se riegan con el aceite de oliva virgen.

2 Se lavan los tomates y cortan en lonchas finas del tamaño del canapé. Se cortan también las lonchas de jamón para adecuarlas al tamaño del pan.

3 Finalmente, se dispone el jamón sobre el pan y se cubre con la rodaja de tomate. Como entrante, esta receta resulta muy recomendable por los hidratos de absorción lenta y la fibra que aporta, además de las proteínas de inmejorable calidad que aporta el jamón.

Canapés de pepino y caviar

👤	**4 personas**
🕐	**15 minutos**
👒	**Muy fácil**
$	**Medio**
⚖	**120 calorías**
🍃	**Muy recomendable**

1 pepino
1 latita de caviar
Tostadas para los canapés
Margarina vegetal
Salsa vinagreta (véase salsas)
1/2 limón

1 Se lava bien el pepino, se pela, se corta en rodajas finas y se pone a macerar con la vinagreta.

2 A continuación, se untan los canapés con margarina y sobre ella se coloca una rodaja de pepino y una cucharadita de caviar.

3 Se rocía el caviar con unas gotas de limón y se sirve al momento.

Canapés de salmón

👤	**4 personas**
🕐	**20 minutos**
👒	**Muy fácil**
$	**Medio**
⚖	**120 calorías**
🍃	**Recomendable**

8 tostadas
Aceite de oliva virgen
3 tomates
150 g de salmón ahumado
Sal y pimienta
Perejil finamente picado

1 Se aliñan las tostadas con un poco de sal, pimienta y aceite de oliva.

2 Seguidamente, se lavan y se cortan en rodajas finas los tomates.

3 Se corta el salmón en lonchas del tamaño de las rebanadas de pan.

4 A continuación, se coloca el pescado sobre la tostada, con unas rodajas de tomate por encima, y se espolvorea con el perejil.

5 Se deja enfriar un par de horas en el frigorífico antes de servir.

Entremés de patatas

👤	**4 personas**
🕐	**45 minutos**
👨‍🍳	**Fácil**
$	**Medio**
⚖	**290 calorías**
🖐	**Muy recomendable**

800 g de patatas
200 g de champiñones
3 tomates medianos
1 cebolla mediana
50 g de queso de Burgos
50 g de mantequilla
1 limón
2 cucharadas de aceite de oliva
1/2 vasito de vino blanco
Sal y pimienta

1 En primer lugar, se lavan las patatas y se cuecen con la piel. A continuación, se pela la cebolla y se corta en juliana. Se lavan también los tomates y los champiñones, y se cortan en rodajas finas y en láminas, respectivamente.

2 Se rocían los champiñones con el jugo de limón para que mantengan su color.

3 En una sartén a fuego medio, se funde la mantequilla y se rehoga el tomate y la cebolla durante 5 minutos.

4 Se incorporan los champiñones y se riega con el vino blanco. Se dejan otros 5 minutos y, justo antes de retirar del fuego, se agrega el queso blanco troceado. Se remueve todo y reserva.

5 Se retiran las patatas del fuego, se enfrían y se cortan en rodajas.

6 Se disponen las patatas en una fuente previamente regada con el aceite.

7 Se colocan encima los champiñones en su salsa.

8 Finalmente, se salpimenta y se sirve inmediatamente.

Huevos con relleno de salsa de alcaparras

👤	**4 personas**
🕐	**15 minutos**
👨‍🍳	**Muy fácil**
$	**Económico**
⚖	**140 calorías**
🖐	**Recomendable**

50 g de alcaparras
50 g de aceitunas rellenas de anchoa
1 diente de ajo
1/2 limón
4 cucharadas de aceite de oliva
4 huevos
1 cucharada de salsa mayonesa

1 Se cuecen los huevos en un cazo.

2 Mientras, se comienza a preparar la salsa colocando en la batidora las alcaparras, las aceitunas, el diente de ajo pelado y el zumo del medio limón. Se va añadiendo gradualmente el aceite para que la salsa vaya ligando.

3 Cuando los huevos ya están cocidos, se retiran del fuego, se enfrían y se pelan.

4 Seguidamente, se parten en dos y se retira la yema de cada mitad.

5 Se pasan las yemas por la batidora y se mezclan con el resto de la salsa.

6 Por último, se rellenan las claras y se enfrían en el frigorífico durante un cuarto de hora. Se trata de un entrante delicioso y muy nutritivo, que aporta proteínas de excelente calidad procedentes de la yema del huevo.

* Aquellas personas que además del azúcar también deban vigilar su colesterol pueden sustituir la yema por un poco de patata hervida.

Montadito de pimiento con sardina

👤	**4 personas**
🕐	**15 minutos**
👨‍🍳	**Muy fácil**
$	**Económico**
⚖️	**150 calorías**
🔱	**Muy recomendable**

2 pimientos rojos
8 rebanadas de pan tostado
1 lata de sardinas
1 cucharada de aceite de oliva
1 cucharada de vinagre
Sal y pimienta

1 Se lavan los pimientos y se asan al horno a 200 °C durante media hora. Cuando están asados, se pelan y cortan en tiras largas de unos 3 cm de ancho.

2 A continuación, se escurre bien el aceite de las sardinas y se coloca una pieza de pescado en cada loncha de pimiento, se enrolla y se sujeta con un palillo.

3 Para acabar, se aliñan las tostadas al gusto y se dispone un pinchito sobre cada una de ellas.

Montadito de piña y jamón York

👤	**4 personas**
🕐	**15 minutos**
👨‍🍳	**Muy fácil**
$	**Económico**
⚖️	**160 calorías**
🔱	**Recomendable**

8 canapés integrales
1 lata mediana de piña en conserva
100 g de jamón cocido (York)
30 g de parmesano rallado
10 g de mantequilla
Clavo en polvo

1 Se untan los canapés con un poco de mantequilla y, a continuación, se gratinan en el horno por las dos caras. Se escurre la piña y se corta a la medida de los canapés. Se hace lo mismo con el jamón.

2 Una vez doradas las tostadas, se cubren con el jamón y sobre él se coloca la rebanada de piña. Se espolvorea con el parmesano rallado y el clavo y se vuelven a gratinar en el horno unos 5 minutos.

3 Se sirven bien calientes.

Pincho de alcachofas

👤	**4 personas**
🕐	**15 minutos**
👨‍🍳	**Muy fácil**
$	**Económico**
⚖️	**90 calorías**
	Muy recomendable

200 g de alcachofas
200 g de dátiles
Rebanadas de pan duro cortadas en
  cuadrados de 2 cm
Aceite de oliva
1 vasito de vino blanco
Sal

1 Se lavan y se cortan en rodajas las alcachofas, y se asan con unas gotas de aceite a fuego vivo (las rodajas deben ser finas, de 3-4 mm de grosor, para que se hagan bien por dentro).

2 Seguidamente, se deshuesan los dátiles y sofríen en una sartén durante un par de minutos. Antes de retirarlos del fuego, se rocían con el vino.

3 En el mismo aceite, se tuestan los trozos de pan por las dos caras.

4 Finalmente, se monta el pincho alternando los trocitos de alcachofas, el pan y los dátiles.

Profiteroles de atún

👤	**4 personas**
🕐	**15 minutos**
👨‍🍳	**Muy fácil**
$	**Económico**
⚖️	**160 calorías**
	Consumo esporádico

16 profiteroles
1 lata de atún en aceite
2 huevos
2 cucharadas de aceite de oliva virgen
2 cucharadas de aceitunas rellenas
2 cucharadas de vinagre de romero
Sal y pimienta
Perejil finamente picado
1 diente de ajo

1 En primer lugar, se cuecen los huevos.

2 Seguidamente, se enfrían, se pelan y se pasan por la batidora (enteros) junto al atún escurrido, las aceitunas, el aceite de oliva, el vinagre, el diente de ajo y el perejil. Se salpimenta al gusto.

3 Finalmente, se rellenan los profiteroles (pueden conseguirse en cualquier pastelería), y se enfrían en la nevera durante media hora.

Revoltillo de champiñones

👤	**4 personas**
🕐	**50 minutos**
👨‍🍳	**Fácil**
$	**Medio**
⚖	**160 calorías**
〰	**Muy recomendable**

400 g de guisantes congelados
400 g de champiñones
400 g de zanahorias
1 cebolla grande
2 cucharadas de aceite de oliva
1 vaso de jerez
Sal y pimienta

1 Se lavan y se pelan bien las zanahorias; se trocean. Seguidamente, se pica finamente la cebolla.

2 En una cazuela con abundante agua con sal, se ponen a hervir las zanahorias y los guisantes.

3 A continuación, se pone una cacerola con el aceite al fuego y, cuando esté caliente, se incorpora la cebolla; se deja que se haga durante un par de minutos. Se salpimenta al gusto.

4 Se añaden los champiñones, y se rehogan a fuego moderado cinco minutos más. Para terminar, se riega todo con el vasito de jerez.

5 Se retiran del fuego y se escurren las hortalizas; se mezclan en una fuente con las setas en su salsa, y se rectifica la sal.

Tartaletas vienesas

👤	**4 personas**
🕐	**40 minutos**
👨‍🍳	**Fácil**
$	**Económico**
⚖	**180 calorías**
〰	**Muy recomendable**

4 tartaletas ya preparadas
400 g de patatas
100 g de salchichas tipo Frankfurt
400 g de manzanas
1 cucharadita de aceite de oliva
Sal y pimienta
Perejil picado
Salsa mayonesa

1 Se lavan y se pelan las patatas, y se trocean en daditos como para ensaladilla rusa.

2 A continuación, se hierven durante un cuarto de hora en agua con sal, procurando que no se deshagan.

3 Mientras, se lavan y se pelan las manzanas, y se trocean también en dados pequeños.

4 Las salchichas se cortan en rodajas de 1 cm de ancho.

5 Finalizada la cocción de las patatas, se escurren bien y se mezclan con el resto de los ingredientes y la salsa. Se salpimenta al gusto.

6 Por último, se rellenan las tartaletas con la mezcla y se espolvorea el perejil por encima. Antes de servir, se enfría en la nevera durante una hora.

Cremas y sopas

Las cremas y purés son platos ligeros que sobrecargan muy poco una buena dieta. Las recetas descritas a continuación están destinadas a lograr un aporte energético mínimo y exento de azúcares simples.

Tienen como ingredientes fundamentales los cereales y las hortalizas, y conllevan una digestión progresiva y nada pesada, que logra que la glucemia crezca lentamente en el periodo pospandrial.

Tanto frías (para el verano) como calientes (para el invierno), resultan siempre apetitosas, reconstituyentes y ligeras: ¿qué más se puede pedir?

Las sopas y los caldos continúan siendo uno de los pilares sobre los que se asienta una dieta completa que merezca ser tenida en consideración. Una buena sopa aporta calorías, hidratos de carbono, minerales y vitaminas. Además, no contiene azúcares de rápida absorción, y es rica en minerales, fibra y glúcidos complejos. En resumen, es la base para una dieta idónea, tanto para personas sanas como para diabéticos.

Caldo de pescado con almejas

👤	**4 personas**
🕐	**30 minutos**
👨‍🍳	**Muy fácil**
$	**Medio**
⚖️	**130 calorías**
🌾	**Muy recomendable**

300 g de pescado de roca
150 g de tomates frescos
400 g de almejas
1 diente de ajo
Perejil
30 g de margarina
Sal y pimienta
1 vasito de vino blanco

1 En primer lugar, se pone a dorar el diente de ajo con la margarina vegetal, y se añade al cabo de dos minutos el tomate triturado y el pescado. Se riega con el vaso de vino. Seguidamente, se incorpora el agua, y se deja cocer a fuego lento unos 20 minutos.

2 En un cazo, se preparan las almejas al vapor. Una vez abiertas, se reserva la mitad y se separa la carne de las valvas del resto de las almejas.

3 Antes de retirar el caldo del fuego, se prueba y se rectifica la sal y la pimienta. Se coloca en una fuente sopera, se incorporan las almejas —con valvas y sin ellas— y se espolvorea por encima con el perejil triturado.

Caldo vegetariano de lentejas

👤	**4 personas**
🕐	**90 minutos**
👨‍🍳	**Muy fácil**
$	**Económico**
⚖️	**300 calorías**
🌾	**Muy recomendable**

200 g de lentejas
200 g de proteína vegetal (soja)
1 tomate
2 cebollas pequeñas
1 diente de ajo
1 hoja de laurel
2 cucharadas de aceite de oliva
Pimentón
Sal

1 Se ponen a remojo las lentejas unas horas en agua fría.

2 Se lavan y se pelan las cebollas; se pica una finamente, y la otra, en juliana. A continuación, se lava el tomate, se pela y se eliminan las semillas. Se tritura.

3 Se pone al fuego una cacerola con un poco de aceite de oliva, el diente de ajo, la cebolla en juliana y la hoja de laurel, y se rehoga durante un par de minutos.

4 Seguidamente, se añaden las lentejas escurridas y se cubre todo con agua fría; se lleva a ebullición y se cuece hasta que la legumbre esté tierna.

5 Mientras, se sofríe la cebolla picada en una sartén. Cuando esté dorada, se añade el tomate y a los 3-4 minutos, la carne de soja. Pasados cinco minutos, se aparta la sartén del fuego y se espolvorea con el pimentón.

6 Finalmente, se mezcla el contenido de la sartén con las lentejas, se remueve y se retira del fuego. Se sirve en sopera, retirando antes la hoja de laurel.

* La proteína vegetal se encuentra en las herboristerías, en forma de pieza de carne, sucedáneo de jamón York, etc. Presenta la ventaja de que aporta poca grasa y su contenido en colesterol es nulo.

Crema de alcachofas

👤	**4 personas**
🕐	**40 minutos**
🎩	**Fácil**
$	**Económico**
⚖	**200 calorías**
🍴	**Muy recomendable**

8 alcachofas medianas
2 cucharadas de leche
1 cucharada de aceite de oliva
1 cebolla mediana
2 cucharadas de harina
1 limón
1-2 rebanadas de pan
1 diente de ajo
Sal y pimienta

1 En primer lugar, se limpian bien las alcachofas, y se les quita las hojas más duras y la pelusa del corazón; seguidamente, se trocean, se rocían con jugo de limón para evitar que se pongan negras y se cuecen durante 20 minutos en abundante agua con sal.

2 Mientras, se pica finamente la cebolla y se sofríe en el aceite a fuego medio. Antes de que termine de hacerse, se añade la harina removiendo bien con una cuchara de madera para evitar que se formen grumos.

3 Cuando las alcachofas están en su punto, se retiran del fogón, se escurren y pasan por el pasapurés. Después, se vierte este puré en la sartén con la cebolla, y se deja cocer a fuego lento cinco minutos más. Finalmente, se rectifica la sal y la pimienta.

4 Se parte el diente de ajo por la mitad y se perfuman las rebanadas de pan antes de sofreírlas con un poco de aceite en una sartén.

5 Se sirve la crema acompañada de unos dados de pan tostado.

SOPA DE VERDURAS

4 o 5 brotes de coliflor , 100 g de judías verdes , 1/2 pimiento rojo , 2 tallos de apio , 1 calabacín , 100 g de champiñones, 1 cebolla, 1 cucharadita de pimentón, aceite, sal

En una olla puesta al fuego rehogaremos la cebolla finamente picada y, al finalizar la cocción, añadiremos el pimentón. Agregaremos 2 l de agua, los brotes de coliflor, las judías verdes, los champiñones fileteados y el pimiento rojo, el apio y el calabacín troceados. Llevaremos a ebullición y proseguiremos la cocción a fuego lento hasta que las verduras estén tiernas. Antes de apartar del fuego rectificaremos la sal.

SOPA DE GUISANTES

500 g de guisantes,1 pastilla de caldo de carne, 4 salchichas tipo Frankfurt, 2 patatas, 1 manojo de puerros, 1 corazón de apio, perejil, aceite, sal y pimienta

Rehogaremos en un poco de aceite los puerros y el apio picados, y freiremos todo durante unos 10 minutos; agregaremos 1 litro de agua caliente y la pastilla de caldo. Sazonaremos con un poco de pimienta y coceremos, a fuego suave, durante 30 minutos. Añadiremos los guisantes, las patatas ralladas y las salchichas cortadas en rodajas finas, y coceremos durante otros 15 minutos. Rectificaremos el sazonado y serviremos espolvoreando perejil picado.

CREMA DE ZANAHORIAS Y CACAHUETES

400 g de zanahorias, 2 puerros, 1 cebolla, 1 cucharada de margarina, 2 hojas de laurel, 1 l de agua, 1 vaso pequeño de leche desnatada, 3 dientes de ajo, 25 g de cacahuetes, sal y pimienta

En una cazuela con la margarina rehogaremos las verduras previamente lavadas y troceadas. Añadiremos el agua, el laurel, la sal y la pimienta, y dejaremos cocer durante 40 minutos. Transcurrido este tiempo, retiraremos el laurel, agregaremos la leche y el ajo machacado, y pasaremos por la batidora. Antes de servir espolvorearemos con los cacahuetes triturados.

ENSALADA DE ATÚN Y AGUACATE

1 corazón de lechuga, 1 aguacate, 2 tomates, 150 g de atún, aceite de oliva virgen extra, zumo de limón, sal
Lavaremos bien la lechuga y el tomate, y los trocearemos en un bol. Cortaremos el aguacate en rodajas y lo incorporaremos a la ensalada junto con el atún bien escurrido. En el momento de servir, aliñaremos con el zumo de limón, el aceite y una pizca de sal.

Crema de coliflor
y calabacines

👤	**4 personas**
🕐	**40 minutos**
👨‍🍳	**Fácil**
$	**Económico**
⚖	**200 calorías**
〰	**Muy recomendable**

1 coliflor de 1/2 kg
2 cucharadas de leche
2 patatas medianas
2 calabacines medianos
2 cucharadas de aceite de oliva
1 cebolla mediana
1 l de leche
Sal y pimienta
1-2 rebanadas de pan del día anterior
1/2 limón

1 Primeramente, se pelan, se lavan y se cortan las hortalizas en dados de aproximadamente 2 centímetros. Para evitar que se pongan negras se rocían con agua y el zumo de medio limón

2 A continuación, se pica finamente la cebolla y se sofríe en el aceite a fuego medio en una cacerola grande. Cuando comience a dorarse, se añade la leche, la coliflor, los calabacines y las patatas troceadas. Se lleva a ebullición durante media hora, a fuego suave.

3 Seguidamente, se pasa todo por el pasapurés y se agrega leche hasta lograr la textura deseada. Después, se rectifica la sal y la pimienta.

4 Finalmente, se sirve la crema caliente, acompañada de unos trocitos de pan tosta-

do. Este plato está especialmente indicado para aquellas personas que son más reacias al consumo de hortalizas, ya que resulta muy apetitoso.

Crema de espinacas
con queso

👤	**4 personas**
🕐	**50 minutos**
👨‍🍳	**Fácil**
$	**Económico**
⚖	**190 calorías**
〰	**Muy recomendable**

1 kg de espinacas
1/2 l de agua
1/2 l de besamel
50 g de mantequilla
100 g de queso parmesano rallado
Sal y pimienta

1 Se lavan las espinacas y se trocean. A continuación, se llevan a ebullición con agua y sal durante aproximadamente unos 20 minutos.

2 Mientras tanto, se prepara la besamel y se salpimenta al gusto.

3 Una vez cocida la verdura, se retira del fuego y se escurre; seguidamente, se pasa por el pasapurés.

4 Se mezcla este puré con la besamel, regulando el grado de espesor de la crema con el caldo sobrante de las espinacas. Si fuera necesario, se rectifica la sal y la pimienta.

5 Finalmente, se dispone en una fuente y se espolvorea con el parmesano. Este plato puede servirse frío o caliente, y es muy recomendable para los diabéticos por su alto contenido en fibra e hidratos de carbono de absorción lenta, así como por su escasa aportación de grasas y azúcares simples.

Crema hortelana con ajos tiernos

🧍	**4 personas**
🕐	**40 minutos**
🍴	**Fácil**
$	**Económico**
⚖️	**140 calorías**
🌾	**Muy recomendable**

1/2 kg de patatas
1/2 kg de zanahorias
4 ajos tiernos
1 cebolla grande
4 cucharadas de aceite de oliva
2 vasos de agua
Sal

1 Se lavan, se pelan y se trocean las zanahorias y las patatas (para que estas últimas conserven su color original, se rocían con el jugo de medio limón).

2 A continuación, se pica finamente la cebolla. Los ajos tiernos se lavan y cortan a lo largo en dos mitades, y luego en trocitos de aproximadamente un centímetro.

3 Se sofríe la cebolla hasta que empiece a dorarse. En ese momento, se rehogan

las verduras troceadas, se añade el agua y se cuece a fuego medio durante unos 30 minutos. Transcurrido este tiempo, se salpimenta y se deja enfriar unos 5 minutos con el recipiente destapado.

4 Finalmente, se pasa por el pasapurés y se sirve en una fuente honda. Este plato resulta excelente por su riqueza en hidratos de carbono de absorción lenta, y su bajo aporte calórico y de grasas.

Crema de tomate a la menta y orégano

🧍	**4 personas**
🕐	**50 minutos**
🍴	**Fácil**
$	**Económico**
⚖️	**110 calorías**
🌾	**Muy recomendable**

1 kg de tomates
1 cebolla mediana
3 patatas medianas
1 limón
1 ramita de menta fresca
1 cucharadita de orégano
2 cucharadas soperas de aceite de oliva
Sal y pimienta

1 Se lavan y se pelan los tomates, retirando las semillas. A continuación, se trocean. Se pelan y se trocean también las patatas y la cebolla.

2 En una cazuela mediana se rehogan las hortalizas junto a las hierbas aromáticas en el aceite de oliva, unos 10 minutos.

3 Se añade el agua y lleva a ebullición durante media hora. Una vez finalizada la cocción, se retira la ramita de menta y se pasa el contenido de la cazuela por el pasapurés, añadiendo el jugo del limón previamente exprimido.

4 Finalmente, se deja enfriar un par de horas en la nevera y se sirve.

Gazpacho al vino blanco

👤	**4 personas**
🕐	**20 minutos**
👨‍🍳	**Muy fácil**
$	**Económico**
⚖️	**160 calorías**
🥄	**Recomendable**

1 kg de tomates maduros
1 cebolla
1 pepino
1 pimiento verde
150 g de pan duro
2 cucharadas de aceite de oliva
1-2 cucharadas de vinagre
1 diente de ajo
Sal
1 vaso de vino blanco
*Dados de tomate, pimiento, pepino y pan
 duro*
Agua fría

1 Se lavan y se pelan bien los tomates, retirando las semillas. A continuación, se pelan y se trocean la cebolla, el ajo y el pepino. Se lava y se trocea el pimiento.

2 En un plato hondo, se remoja el pan con el vino blanco. Seguidamente, se colocan los vegetales troceados en la bati-

dora, se añade el pan, el aceite de oliva, el vinagre, el ajo y la sal, y se tritura todo finamente.

3 Por último, se guarda en la nevera un par de horas para que esté frío en el momento de servir. Se sirve con el resto de los ingredientes troceados y dispuestos en platos aparte. El gazpacho es un plato digestivo, fresco y con un aporte excelente de fibra e hidratos de carbono, sin apenas grasas y con contenido nulo en colesterol. Además, facilita una curva suave y progresiva de la glucemia.

Mousse de puerros al roquefort

👤	**4 personas**
🕐	**30 minutos**
👨‍🍳	**Fácil**
$	**Económico**
⚖️	**220 calorías**
🥄	**Muy recomendable**

6 puerros medianos
100 g de miga de pan del día anterior
1/2 vaso de leche
3 huevos
50 g de mantequilla
100 g de queso roquefort

1 Se lavan y trocean los puerros.

2 Se pone al fuego una cacerola con la mantequilla, agua y sal, y se cuecen los puerros durante 20 minutos.

3 Mientras, en un plato a parte, se remoja la miga de pan con la leche templada.

4 Al finalizar la cocción, se retiran y se escurren los puerros. Se reservan algunos trocitos y el resto se bate junto con la miga de pan, la leche y el roquefort picado finamente.

5 A continuación, se añaden uno a uno los huevos batidos sin dejar de remover para que la crema quede homogénea. Se sirve en los platos y se adorna poniendo encima los trocitos de puerro previamente reservados.

6 Este plato resulta muy indicado para todas las estaciones del año ya que puede tomarse frío en verano y caliente en los meses invernales.

Sopa de ajo al azafrán

👤	**4 personas**
🕐	**15 minutos**
🍲	**Muy fácil**
$	**Económico**
⚖	**90 calorías**
〰	**Muy recomendable**

4 rebanadas finas de pan duro
2 dientes de ajo
2 cucharadas de aceite de oliva
1 cucharada de pimentón dulce
1 l y 1/2 de agua o caldo vegetal
Azafrán en polvo
Sal

1 En primer lugar, se pone una cacerola mediana al fuego con el aceite. Mientras se va calentando, se pelan y se cortan finamente los dientes de ajo, y se sofríen.

2 Una vez dorados, se sofríen las rebanadas de pan hasta que adquieren un color tostado. Se incorpora el pimentón y el azafrán, sin dejar de remover para evitar que se quemen.

3 Se completa después con el caldo vegetal y la sal, y se deja cocer a fuego lento durante 5 minutos.

4 Este plato, ligero y sabroso, resulta muy indicado para cenas donde no se desea cargar demasiado el estómago.

Sopa de arroz y cebolla

👤	**4 personas**
🕐	**30 minutos**
🍲	**Fácil**
$	**Económico**
⚖	**110 calorías**
〰	**Muy recomendable**

100 g de arroz
2 cebollas medianas
2 cucharadas de harina
2 cucharadas de aceite de oliva
1 l y 1/2 de caldo de verduras
Sal
Perejil picado

1 En primer lugar, se lavan y se pelan las cebollas, y se cortan en juliana.

2 A continuación, se doran en una cacerola con el aceite de oliva.

3 Cuando están en su punto, se retiran del fuego.

4 Se añade la harina a la cacerola, removiendo bien para que no se formen grumos. A continuación, se vierte el caldo y se lleva a ebullición. Se incorpora la sal y se deja que cueza a fuego medio durante 15 minutos.

5 A media cocción, se incorpora el arroz, se baja el fuego y se deja que cueza hasta que esté en su punto.

6 Transcurrido este tiempo, se retira del fuego y se sirve en una sopera, espolvoreando por encima el perejil picado.

sal y el aceite. Cuando rompe a hervir, se incorporan las hortalizas troceadas; se modera un poco el fuego, y se deja que hierva durante media hora.

3 Terminada la cocción, se pica la hierbabuena y se espolvorea sobre la sopa ya preparada.

4 Finalmente, se puede servir la sopa tal cual, o bien separando las hortalizas del caldo, ya que este sirve de base para otras preparaciones de cremas y purés. De la misma manera, puede servirse como consomé vegetal.

Sopa campesina

👤	**4 personas**
🕐	**50 minutos**
🎩	**Fácil**
$	**Económico**
⚖	**80 calorías**
	Muy recomendable

50 g de guisantes
3 zanahorias
1 cebolla
2 tomates
1 rama de apio
1 puerro
100 g de calabaza
Sal
1 cucharada de aceite de oliva
1 ramita de hierbabuena

1 En primer lugar, se lavan, se pelan y se trocean las hortalizas.

2 Seguidamente, se pone una olla a fuego vivo con un litro y medio de agua, la

Sopa de cardo

👤	**4 personas**
🕐	**50 minutos**
🎩	**Fácil**
$	**Económico**
⚖	**140 calorías**
	Muy recomendable

200 g de cardo
300 g de calabaza
200 g de patatas
1 puerro
2 cucharadas de aceite de oliva
1 l de agua
Sal

1 Se pone al fuego una cacerola con el aceite.

2 Seguidamente, se lavan y se trocean los puerros y los cardos, se incorporan a la cazuela y se rehogan un par de minutos.

Mientras tanto, se limpian, se pelan y se trocean las patatas y la calabaza, y se incorporan también a la cocción.

3 A continuación, se agrega el caldo y se deja que hierva a fuego lento aproximadamente 40 minutos.

4 Finalmente se retira del fuego y se pasa, aún caliente, por el colador chino, hasta lograr un puré homogéneo.

Sopa de lentejas y pasta

👤	**4 personas**
🕐	**40 minutos**
👨‍🍳	**Fácil**
$	**Económico**
⚖	**350 calorías**
🌾	**Muy recomendable**

300 g de lentejas (ya cocidas)
200 g de pasta de sémola de tipo pequeño
100 de tomates pelados
1 cebolla mediana
2 dientes de ajo
Perejil finamente picado
4 cucharadas de aceite de maíz
4 rebanadas de pan tostado
1 pimiento de Padrón o del piquillo
1 l de caldo vegetal
Sal

1 En primer lugar, se pelan y se trocean la cebolla, el ajo y los tomates (de estos últimos, se retiran también las semillas). Seguidamente, se sofríen junto al perejil hasta que toman un color dorado, removiendo continuamente para que no se peguen. Se salpimenta.

2 Se agrega el caldo vegetal y se lleva a ebullición. En el momento en que comienza a hervir, se añade la pasta, se reduce el fuego y se deja que cueza a fuego no muy vivo durante aproximadamente 8-10 minutos, según el tipo de pasta. Cuando falten un par de minutos para que finalice la cocción, se añade la legumbre y se deja que se haga.

3 Mientras hierve el caldo, se corta el pan duro en daditos y se sofríe en una cacerola con el aceite caliente. Cuando están tostados los dados de pan, se reservan en un plato aparte.

4 Al finalizar la cocción, se dispone la sopa en tazones y se sirve, colocando en una fuente aparte el pan tostado, unos dados de cebolla cruda y un trocito de pimiento del piquillo.

Sopa minestrone con arroz

👤	**4 personas**
🕐	**60 minutos**
👨‍🍳	**Fácil**
$	**Económico**
⚖	**160 calorías**
🌾	**Muy recomendable**

100 g de guisantes
3 zanahorias
1 cebolla
2 tomates
1 rama de apio
1 puerro
100 g de calabaza
80 g de arroz integral
1 cucharada de aceite de oliva
Sal

1 Primeramente, se lavan, se pelan y se trocean todas las hortalizas excepto la cebolla.

2 Seguidamente, se pone una olla al fuego con un litro y medio de agua, la sal y el aceite.

3 Cuando rompe a hervir, se añaden las verduras troceadas en dados y se baja el fuego.

4 Mientras se hace la sopa, se pica finamente la cebolla y se sofríe en aceite hasta que esté dorada. Después, se incorpora a la sopa.Cuando las hortalizas ya casi están cocidas, se añade el arroz y se mantiene la cocción hasta que esté hecho.

5 Antes de retirar del fuego, se rectifica la sal.

Sopa de verduras con rabo de lechal

👤	**4 personas**
🕐	**40 minutos**
🍳	**Fácil**
$	**Económico**
⚖	**140 calorías**
🌿	**Muy recomendable**

2 zanahorias
2 puerros
2 nabos
2 patatas medianas
1 cebolla pequeña
1 rama de apio
1 cucharada de aceite de oliva
1 diente de ajo
1 l y 1/2 de agua
1 rabo de cordero lechal
Sal y pimienta

1 Las sopas que tienen como ingrediente el rabo de cordero constituyen un auténtico placer, ya que al delicioso aroma que presentan se une la cremosidad que aportan tanto la gelatina de los tendones como la pequeña capa de grasa subcutánea.

2 En primer lugar, se pone al fuego una cazuela con el aceite y se dora el ajo.

3 Transcurridos unos minutos, se incorpora el rabo salpimentado, el agua y la sal; se lleva a ebullición a fuego vivo.

4 Mientras, se lavan, se pelan y se trocean las hortalizas en forma de dados.

5 Se incorporan también a la olla, y se deja que hiervan a fuego medio durante unos 30 minutos. Se sirve bien caliente.

Primeros platos

Ensaladas

Pasta, arroz y patatas

Legumbres y verduras

Ensaladas

Verdes, rojas o de cualquier otro color, las ensaladas son alimentos naturales y altamente recomendables en la dieta de cualquier persona diabética. Tienen innumerables efectos beneficiosos: regulan el tránsito intestinal, actúan contra el estreñimiento, prolongan el tiempo de absorción de nutrientes, proporcionan una curva de glucemia más moderada y estable, aportan vitaminas y minerales, y, además, su contenido calórico es mínimo: el contenido en azúcares simples (como la fructosa) es tan bajo que no supone ningún contratiempo en una comida normal.

Ensalada de acelgas

👤	**4 personas**
🕐	**30 minutos**
👒	**Muy fácil**
$	**Económico**
⚖	**140 calorías**
〰	**Recomendable**

3/4 kg de acelgas tiernas
100 g de pasas de Corinto
2 zanahorias
2 cucharada de aceite de oliva
2 cucharadas de aceitunas verdes
Estragón
Sal y pimienta

1 Se lavan las acelgas, se cortan y se llevan a ebullición en una olla con agua y sal durante de 20 minutos.

2 Seguidamente, se rallan las zanahorias.

3 Se retiran las acelgas del fuego, y se escurren bien.

4 A continuación, se enfrían en la nevera unos 10 minutos.

5 Finalmente, se disponen en una fuente y se incorporan las pasas y las aceitunas.

6 Se aliña al gusto y se adorna con la zanahoria rallada y el estragón.

Ensalada de ajos tiernos y arroz

👤	**4 personas**
🕐	**30 minutos**
👒	**Fácil**
$	**Económico**
⚖	**320 calorías**
〰	**Muy recomendable**

300 g de arroz
8 ajos tiernos
1 cebolla mediana
1 pimiento verde
100 g de brotes de soja
100 g de guisantes en lata
3 cucharadas de aceite de oliva
3 cucharadas de salsa vinagreta
100 g de beicon
1 limón
Sal y pimienta

1 Se pone el arroz a hervir en una cazuela con agua y un poco de sal. Mientras, se lava y se corta el pimiento en dados. Los ajos tiernos se lavan y se cortan longitudinalmente en dos o tres tiras que se reservan poniéndolas en remojo con el zumo de un limón. Se corta finamente la cebolla.

2 En una cacerola con el aceite a fuego medio se rehoga la cebolla y los pimientos durante 5 minutos. Transcurrido este tiempo, se añaden los brotes de soja y, después de otros 5 minutos, se incorpora el beicon cortado en dados finos, que se sofríe un par de minutos.

3 A continuación, se incorporan los guisantes y el arroz previamente escurrido. Se remueve unos minutos y se retira del fuego, después de salpimentar.

4 Finalmente, se aliña con la salsa vinagreta y los ajos tiernos, removiendo todo bien.

Ensalada de arroz integral

🧍	**4 personas**
🕐	**40 minutos**
👒	**Fácil**
$	**Económico**
⚖	**310 calorías**
🖐	**Muy recomendable**

300 g de arroz integral
16 tomates cherry (pequeños)
100 g de maíz en conserva
200 g de requesón o queso de Burgos
1 cebolla
1 vasito de aceite de maíz
1 diente de ajo
Salsa vinagreta
Sal y pimienta

1 Se pone a hervir el arroz integral en una olla con agua y sal, a fuego vivo.

2 Mientras, se lava y se corta bien fina la cebolla; se rehoga en una cacerola con el aceite de maíz y el ajo.

3 Seguidamente, se lavan los tomates y cortan en cuartos.

4 Se corta en dados el queso fresco o el requesón.

5 Cuando el arroz está en su punto, se escurre y se mezcla en una fuente con el maíz, el queso y el resto de los ingredientes. Se aliña con la salsa vinagreta.

* Este plato resulta idóneo para aquellas personas adultas que necesitan moderar la ingesta de azúcar y que a la vez precisan llevar una dieta rica en fibra, vitaminas y proteínas de calidad. En niños y adolescentes, es mejor sustituir el arroz integral por arroz blanco.

Ensalada de arroz oriental

🧍	**4 personas**
🕐	**30 minutos**
👒	**Fácil**
$	**Económico**
⚖	**320 calorías**
🖐	**Muy recomendable**

300 g de arroz integral
1 cebolla mediana
1 pimiento verde
100 g de brotes de soja
150 g de magro de cerdo
3 cucharadas de aceite de girasol
3 cucharadas de salsa de soja
Sal y pimienta

1 Se cuece el arroz en agua con un poco de sal. Mientras, se corta en dados el pimiento, y se pela y se pica la cebolla.

2 En una cacerola con el aceite a fuego medio, se rehoga la cebolla y la carne magra cortada en tiras largas y finas (de menos de un centímetro de grosor) durante 5 minutos. A continuación, se agregan los brotes de soja, y se dejan 5 minutos más. Se incorporan los pimientos.

3 Seguidamente, se añade el arroz escurrido. Se remueve unos minutos y se retira del fuego, después de haber rectificado la sal y la pimienta; se aliña todo el guiso con la salsa de soja.

4 Se mezcla bien y se sirve en una fuente caliente.

Ensalada de bacalao

👤	**4 personas**
🕐	**15 minutos**
🧑‍🍳	**Muy fácil**
$	**Económico**
⚖	**210 calorías**
🍴	**Muy recomendable**

200 g de bacalao en salazón
100 g de arroz hervido
1 lechuga
4 tomates
8 cebollitas tiernas
1 cucharada de aceite de oliva virgen
1 limón
1 pizca de estragón
Sal, vinagre y pimienta

1 El día anterior se pone en remojo el bacalao en agua fría. Según el grado de salazón y el grosor de los trozos, debe cambiarse el agua de dos a cuatro veces.

2 Para comenzar a preparar este plato, se deja la lechuga en remojo 20 minutos en agua clorada. A continuación, se lava y se escurre. Se hace lo mismo con los tomates y las cebollitas.

3 Con el aceite de oliva, el jugo del limón y el vinagre se prepara la salsa.

4 Se escurre el pescado y se seca bien con un trapo limpio de cocina. Seguidamente, se hacen tiras finas de unos 4 cm de largo y 1 cm de ancho.

5 Finalmente, se mezcla con las verduras y el arroz hervido, y se aliña con la salsa. Se perfuma espolvoreando estragón por encima. Si no se consume de inmediato, debe guardarse en la nevera.

6 Esta ensalada es muy nutritiva, contiene poca grasa y ningún azúcar de absorción rápida; es un plato sabroso y equilibrado.

Ensalada de cardo con atún

👤	**4 personas**
🕐	**30 minutos**
🧑‍🍳	**Fácil**
$	**Económico**
⚖	**280 calorías**
🍴	**Muy recomendable**

1 kg de cardo
3 patatas medianas
150 g de atún en aceite
3 huevos
1 limón
1 cucharada de alcaparras
2 cucharadas de aceite de oliva virgen
1 cucharada de vinagre
Sal

1 Se lava y se trocea el cardo; se rocía con jugo de limón.

2 Seguidamente, se hace lo mismo con las patatas, y se pone todo a cocer durante 20 minutos en una cazuela con agua y sal.

3 Se cuecen los huevos, y una vez cocidos se rallan y se salpimentan.

4 A continuación, se retira la verdura del fuego, se escurre y se dispone en una ensaladera.

5 Se incorpora el atún, las alcaparras y los huevos rallados; se condimenta y se sirve.

* Este plato está indicado especialmente para personas adultas con diabetes tipo II, que necesitan proteínas de calidad y alimentos que contengan bastante fibra para mejorar su tránsito intestinal.

Ensalada de la Cerdaña

👤	**4 personas**
🕐	**15 minutos**
👨‍🍳	**Muy fácil**
$	**Económico**
⚖	**140 calorías**
📎	**Muy recomendable**

1 lechuga
200 g de níscalos
50 g de pasas
2 tomates
1 cucharada de aceite de oliva
1 cucharada de vinagre al estragón
2 cucharas de aceitunas verdes partidas
Orégano
Sal y pimienta
1 limón

1 Se lava la lechuga, se trocea y se pone en remojo durante 20 minutos en agua clorada.

2 Mientras, se lavan y se trocean los tomates.

3 Se lavan y se trocean los níscalos, y se rocían con unas gotas de zumo de limón. Seguidamente, se hacen a la parrilla con unas gotitas de aceite.

4 A continuación, se escurre la lechuga, y se mezcla en una ensaladera con el tomate; se aliña con el aceite y el vinagre.

5 Finalmente, se presenta la ensalada en platos individuales, colocando en el centro las pasas, las olivas y las setas.

Ensalada de endibias con salmón

👤	**4 personas**
🕐	**15 minutos**
👨‍🍳	**Muy fácil**
$	**Económico**
⚖	**160 calorías**
📎	**Muy recomendable**

2 endibias medianas
200 g de salmón ahumado
Salsa vinagreta
Sal y pimienta

1 En primer lugar, se pelan las endibias, y se limpian cuidadosamente las hojas una por una en el chorro de agua fría del grifo, para evitar que se rompan.

2 Se dejan en remojo en agua clorada 20 minutos.Transcurrido este tiempo, se escurren bien.

3 A continuación, se disponen en una fuente plana y redonda como si fueran los radios de una rueda. Con el salmón se hacen tiras del tamaño de las hojas de las endibias, y se colocan encima de estas.

4 Seguidamente, se riega con la vinagreta. Al igual que sucede con la mayoría de las ensaladas, conviene prepararla inmediatamente antes de servir, para evitar que los vegetales se deterioren por la acción de la sal y la vinagreta.

Ensalada especial para diabéticos

👤	**4 personas**
🕐	**15 minutos**
🧑‍🍳	**Muy fácil**
$	**Económico**
⚖️	**200 calorías**
〰️	**Muy recomendable**

4 patatas cocidas enteras (sin pelar)
2 manzanas golden
1 lechuga
2 huevos cocidos
200 g de pechuga de pollo
1 cucharada de vinagre
3 cucharadas de aceite de oliva
El zumo de medio limón
Perejil picado
Sal y pimienta

1 Se pelan y se trocean las manzanas, y se rocían con zumo de limón.

2 Se salpimenta la pechuga y se hace a la parrilla con unas gotitas de aceite. Luego se corta en trocitos de unos 2 cm.

3 Las patatas se cortan en rodajas, se salpimentan y se disponen en el fondo de cada plato donde se va a servir la ensalada.

4 Se deja la lechuga a remojo 20 minutos en agua clorada, y a continuación se trocea y se dispone en una ensaladera.

5 Se mezclan todos los ingredientes en la ensaladera (excepto los huevos y las patatas) y se aliñan con el vinagre, la sal y la pimienta; a continuación, se va disponiendo la ensalada en cada plato, cubriendo parcialmente las patatas. Se incorporan los huevos duros cortados en mitades y se adorna con el perejil picado.

6 Este plato es rico en carbohidratos de absorción lenta y en fibra, además de presentar un alto contenido en proteínas de excelente calidad que garantizan una curva de glucemia suave y prolongada.

Ensalada de espinacas y marisco

👤	**4 personas**
🕐	**40 minutos**
🍳	**Fácil**
$	**Medio**
⚖️	**230 calorías**
🥄	**Muy recomendable**

1 kg y 1/2 de espinacas
12 chipirones pequeños
1/2 kg de mejillones con valvas
250 g de almejas
250 g de chirlas
1 limón
1 cucharada de perejil picado
Salsa vinagreta (véase salsas)

1 En primer lugar, se lavan y se trocean las espinacas, y se cuecen durante 20 minutos en agua con sal.

2 A continuación, se lavan bien los moluscos y se cuecen al vapor.

3 Una vez cocidos, se separa la carne de las valvas, se salpimentan, se aliñan con unas gotas de limón y se pasan por la parrilla.

4 Se escurren bien las espinacas cuando ha transcurrido el tiempo de cocción.

5 Para finalizar, se mezcla todo en una fuente, se riega con la vinagreta y se espolvorea con el perejil.

Ensalada huerta y mar

👤	**4 personas**
🕐	**15 minutos**
🍳	**Muy fácil**
$	**Medio**
⚖️	**120 calorías**
🥄	**Muy recomendable**

1 escarola
Unas hojas de apio
1 lata de atún
8 sardinas en aceite
2 tomates
1 cucharada de aceite de oliva
1 cucharada de vinagre
2 cucharas de aceitunas verdes
Estragón picado
Sal y pimienta

1 Se eliminan las hojas demasiado oscuras de la escarola, ya que tienen un sabor muy amargo. Las restantes se lavan una por una bajo el chorro de agua fría, y se dejan en remojo durante 20 minutos en agua clorada. Se lava también el apio y los tomates.

2 Seguidamente, se escurre la escarola, se trocea y se dispone en una fuente. El tomate se corta en trozos pequeños.

3 Se mezcla todo y se aliña al gusto con el aceite, el vinagre y el estragón finamente picado.

4 Al final, se añaden las sardinas y el atún desmenuzado.

* Esta es una manera fácil de conseguir que los niños tomen ensalada, que además incorpora los beneficios del pescado azul.

Ensalada de lentejas a lo pobre

👤	**4 personas**
🕐	**90 minutos**
👨‍🍳	**Fácil**
$	**Económico**
⚖️	**300 calorías**
🌾	**Muy recomendable**

400 g de lentejas
200 g de tocino entreverado
2 patatas medianas
1 cebolla mediana
1 zanahoria
1 diente de ajo
2 cucharadas de aceite de oliva
Sal y pimienta
Salsa vinagreta (véase salsas)

1 Se ponen las lentejas a remojo unas seis horas en agua fría.

2 Se pela y se trocea la cebolla; se hace lo mismo con la zanahoria, que se cortará en trozos de unos 2 cm.

3 A continuación, se sofríe la cebolla en una cacerola a fuego medio con el aceite y el diente de ajo, hasta que esté ligeramente dorada. En ese momento, se agrega la zanahoria.

4 Transcurridos un par de minutos, se incorporan las lentejas escurridas y se cubre con agua, sin agregar todavía la sal; se lleva a ebullición. Cuando rompa a hervir, se baja el fuego y se prosigue con la cocción durante aproximadamente una hora. Quince minutos antes de que termine la cocción, se añaden las patatas peladas y troceadas.

5 Finalmente, se corta el tocino en daditos, y se sofríe con unas gotas de aceite. Seguidamente, se escurren las lentejas y las patatas (se puede guardar el caldo para otros usos), se disponen en una ensaladera junto con el tocino, se sazonan y se aliñan con la vinagreta.

6 Se enfría en la nevera un par de horas antes de servir.

Ensalada de macarrones

👤	**4 personas**
🕐	**30 minutos**
👨‍🍳	**Fácil**
$	**Económico**
⚖️	**320 calorías**
🌾	**Muy recomendable**

250 g de macarrones
2 cebollas grandes
500 g de melón
1 ramita de albahaca
100 g de queso de Burgos
1 cucharada de aceite de oliva
50 g de mantequilla
Sal y pimienta

1 Se pone una olla con agua, sal y un chorrito de aceite al fuego, y cuando hierva se incorporan los macarrones.

2 Mientras, se pelan y se pican las cebollas. El melón se corta en dados pequeños.

3 Seguidamente, se coloca una cacerola con el aceite a fuego medio, y se sofríe la cebolla.

4 Antes de retirar del fuego la salsa, se incorpora la albahaca picada finamente.

5 Una vez que la pasta está *al dente*, se corta la cocción bajo el chorro de agua fría del grifo y se escurre bien.

6 Se mezclan los macarrones en una fuente con el sofrito, el melón troceado, la mantequilla y el queso blanco ligeramente rallado. Se salpimenta al gusto.

Ensalada tropical de arroz

👤	**4 personas**
🕐	**30 minutos**
🍳	**Muy fácil**
$	**Económico**
⚖	**280 calorías**
🌿	**Muy recomendable**

300 g de arroz
4 cucharadas de aceite de oliva
4 plátanos medianos
1 piña natural mediana
Sal
Salsa vinagreta (véase salsas)

1 Se cuece el arroz, se corta la cocción bajo el chorro de agua fría y se escurre bien.

2 Se pela la piña y se corta en dados de unos dos centímetros.

3 A continuación, se coloca en una sartén grande el aceite de oliva y se sofríen en él los plátanos pelados y cortados por la mitad en sentido longitudinal. Transcu-

rridos unos 5 minutos, se retiran del fuego. En el mismo aceite se rehoga la piña.

4 Seguidamente, se añade el arroz escurrido, removiendo con cuidado para que se mezclen bien todos los ingredientes.

5 Para finalizar, se coloca el arroz en una fuente, con los plátanos cruzados, y se vierte la vinagreta por encima.

Ensaladilla de arroz

👤	**4 personas**
🕐	**40 minutos**
🍳	**Fácil**
$	**Económico**
⚖	**350 calorías**
🌿	**Muy recomendable**

300 g de arroz
25 g de mantequilla
1/2 kg de judías verdes
1 kg de guisantes
1/2 kg de tomates maduros
100 g de maíz en conserva
Salsa mayonesa

1 En primer lugar, se lavan y se cortan las judías en trocitos (unos 2 cm). Se colocan en una olla junto con los guisantes frescos y la sal, y se cuecen durante 25 minutos.

2 Mientras, se pone a hervir el arroz en abundante agua con sal durante 12-15 minutos. Una vez transcurrido este tiempo, se corta la cocción bajo el chorro de agua fría y se escurre.

3 A continuación, se pone la mantequilla en una sartén y se rehoga el arroz.

4 Seguidamente, se lavan y se cortan los tomates en rodajas finas.

5 Para terminar, se disponen el arroz, las hortalizas, los tomates y el maíz en conserva en una fuente. Al servir se acompaña con la mayonesa, para que cada uno aderece a su gusto la ensalada. Es un plato especialmente apetecible en los meses de estío.

Ensaladilla de champiñones

🧍	**4 personas**
🕐	**30 minutos**
🍳	**Fácil**
$	**Económico**
⚖	**200 calorías**
〰	**Muy recomendable**

4 patatas medianas
8 zanahorias
200 g de guisantes
100 g de champiñones
Sal
Salsa mayonesa

1 En primer lugar, se lavan, pelan y trocean las hortalizas (patatas, zanahorias y guisantes) en dados, que se cuecen en abundante agua con sal.

2 Una vez cocidas las verduras, se escurren bien.

3 Mientras, se lavan los champiñones y se cortan por la mitad. Para que no se pongan negros, se pueden rociar con jugo de limón.

4 Se rehogan en una sartén con aceite de oliva durante 10 minutos a fuego medio, y se prepara la mayonesa.

5 Por último, se mezcla todo en una fuente y se enfría en la nevera durante media hora.

6 Este plato resulta muy recomendable para las épocas calurosas, es rico en fibra y en hidratos de carbono de absorción lenta, y presenta sólo el inconveniente del colesterol de la salsa.

* Para salvar el problema del colesterol de la salsa, esta puede cambiarse por otra que no lleve yema de huevo, como por ejemplo una vinagreta.

Pasta, arroz y patatas

La pasta es una de las mejores formas de proporcionar al organismo energía en forma de hidratos de carbono, con muy poca grasa y con un aporte de proteínas apreciable (aunque no completo). El almidón de las harinas, base de la pasta, se absorbe con relativa lentitud en el intestino, y debe ser transformado en glucosa en el hígado. Este proceso hace que la subida de glucemia sea progresiva, al igual que su descenso, con lo que el beneficio para el diabético es evidente.

El arroz es el cereal que más se consume en el mundo, y no en vano, ha sido —y es— la base de la alimentación de gran parte de la humanidad. Desde la cocina oriental, donde tiene un carácter omnipresente, hasta la costa valenciana, donde es ingrediente fundamental de muchos platos.

El arroz integral aporta más fibra y más vitaminas. El blanco pierde en gran parte esas propiedades, pero sigue conservando su riqueza en almidón. Para personas adultas, con diabetes moderada o leve y sin otras enfermedades asociadas, el arroz integral puede ayudar a regular el tránsito intestinal y a modular aún más la curva de glucosa.

Por lo que respecta a la patata, ese tubérculo polivalente que enriquece la mesa en calidad y variedad, tiene su origen en América.

La patata se compone básicamente de agua e hidratos de carbono de naturaleza muy compleja (en forma de cadenas con centenares de ramificaciones). Por eso, resulta indigesta si se come cruda, y es necesario cocinarla siempre para consumirla, para romper en parte esas cadenas. Una vez cocinada, la digestión de este tubérculo sigue siendo lenta, al igual que su absorción. Nos brinda, por tanto, una excelente manera de regular de forma natural la tasa de azúcar en sangre.

Arroz a la catalana

👤	**4 personas**
🕐	**30 minutos**
👒	**Fácil**
$	**Económico**
⚖	**310 calorías**
🖐	**Muy recomendable**

300 g de arroz
50 g de piñones
100 g de pasas de Corinto
200 g de chipirones pequeños
50 de mantequilla
1 vaso de vino rancio
Sal y pimienta

1 Unas horas antes, se dejan en remojo las pasas con el vino rancio.

2 Se cuece el arroz en una olla con agua y un poco de sal. Mientras, se lavan los chipirones y se reservan.

3 Aparte, en una cacerola a fuego medio, se derrite la mantequilla y se rehogan los piñones. Transcurridos un par de minutos, se añade el vino junto con las pasas y, seguidamente, los chipirones, removiéndolos bien para que no se quemen.

4 Se deja unos 10 minutos, y luego se incorpora el arroz ya cocido y escurrido. Se rectifica la sal y se retira del fuego.

* Este plato se sirve bien caliente. Combina las propiedades del cereal y las proteínas de los cefalópodos.

Arroz al cóctel de banana

👤	**4 personas**
🕐	**30 minutos**
👒	**Muy fácil**
$	**Económico**
⚖	**280 calorías**
🖐	**Muy recomendable**

300 g de arroz
50 g de mantequilla
4 plátanos medianos
1/2 kg de piña natural
1 cucharada de aceite de oliva
1 vaso de cava
1 limón
Salsa de tomate (véase salsas)
Sal y pimienta

1 Se cuece el arroz en una cazuela con agua y una pizca de sal. Mientras, en una sartén con el aceite de oliva, se rehogan los plátanos troceados y previamente remojados en el zumo del limón.

2 A los dos minutos, se retiran del fuego con mucho cuidado para que no se rompan.

3 Seguidamente, se pasan por el pasapurés y reservan.

4 Se pela la piña y se trocea su pulpa. A continuación, se rehoga un par de minutos en la sartén.

5 Se mezcla la salsa de tomate, previamente preparada, con el cava y el puré de plátanos. Se salpimenta al gusto.

6 Una vez que el arroz está hecho, se pasa por agua fría para cortar la cocción y se escurre bien. Luego se funde la mantequilla en una cacerola a fuego medio y se incorpora el arroz, rehogándolo un par de minutos.

7 Finalmente, se mezclan en una fuente el arroz, los trozos de piña y la salsa de plátano. Se sirve inmediatamente, para evitar que se pase el arroz.

Arroz de cuaresma

👤	**4 personas**
🕐	**40 minutos**
👒	**Fácil**
$	**Económico**
⚖	**300 calorías**
🌶🌶🌶	**Muy recomendable**

400 g de arroz
200 g de bacalao desalado
12 mejillones
50 g de mantequilla
1 cebolla grande
1 cucharada de aceite de oliva
1 hebra de azafrán
8 dl de agua
Sal

1 Se sofríe en una cazuela con aceite la cebolla bien picada. Cuando está dorada, se añade el bacalao en dados.

2 Transcurridos un par de minutos, se añade el arroz y se remueve con una cuchara de madera hasta que adquiere un color tostado.

3 Mientras, se lavan los mejillones y se hacen al vapor.

4 Cuando están listos, se separa la carne de las valvas y se incorpora esta al sofrito junto con el agua, el azafrán y la sal.

5 Se deja que se haga todo durante unos 12-15 minutos. Justo antes de retirar la olla del fuego se añade la mantequilla.

Arroz al estilo matarraña

👤	**4 personas**
🕐	**30 minutos**
👒	**Fácil**
$	**Económico**
⚖	**300 calorías**
✎	**Consumo esporádico**

400 g de arroz
400 g de cardo
150 g de tocino entreverado (o beicon)
4 cucharadas de aceite de oliva
El zumo de un limón
Sal y pimienta

1 Se pone a cocer el arroz en una cazuela con agua y sal.

2 Mientras, se lavan y se trocean los cardos. Se rocían con el jugo del limón para que no pierdan color y, luego, se rehogan en una cacerola con el aceite durante 5 minutos. Se incorpora también el tocino cortado en dados, un poco de sal y la pimienta.

3 Una vez que está listo el arroz, se escurre y se pasa por el chorro de agua fría del grifo, para cortar la cocción.

4 A continuación, se mezcla con el cardo y el tocino.

* El arroz y el cardo constituyen un excelente primer plato, rico en carbohidratos y con las grasas mínimas para darle un mejor sabor y aroma.

Arroz al estilo vienés

👤	**4 personas**
🕐	**30 minutos**
♨	**Fácil**
$	**Económico**
⚖	**300 calorías**
〰	**Muy recomendable**

300 g de arroz
100 g de guisantes en conserva
4 salchichas tipo Frankfurt
100 g de beicon
1 cebolla pequeña
2 tomates maduros medianos
1 diente de ajo
1 vasito de aceite
Salsa de tomate al jerez (véase salsas)

1 En primer lugar, se limpia y se corta finamente la cebolla. Con los tomates se procede de la misma manera, y se quitan las semillas.

2 Seguidamente, se hace un sofrito en una sartén con el aceite, la cebolla picada, el diente de ajo y el tomate, y se mantiene a fuego medio.

3 Mientras, se hierve en una cazuela el arroz con abundante agua salada.

4 A los 5 minutos, se incorporan a la sartén las salchichas troceadas, el beicon y los guisantes, y se deja que se doren un poco.

5 Se escurre el arroz una vez cocido y, en una fuente, se mezcla con el sofrito de la sartén.

6 Finalmente, se aliña al gusto con la salsa de tomate al jerez.

Arroz gratinado

👤	**4 personas**
🕐	**30 minutos**
♨	**Fácil**
$	**Económico**
⚖	**280 calorías**
〰	**Muy recomendable**

400 g de arroz
12-16 alcachofas grandes
200 g de atún fresco
1/2 l de leche
1 cebolla mediana
2 cucharadas de harina
50 g de mantequilla
50 g de queso parmesano rallado
Aceite de oliva
Sal

1 En primer lugar, se lavan las alcachofas y se les quitan las hojas externas; se dejan enteras.

2 Seguidamente, se recortan los tallos de estas y, con un cuchillo pequeño, se vacían, dejando un hueco para disponer más adelante el relleno. Se rocían con el jugo de limón y el aceite de oliva, y se hornean a 200 °C durante 20 minutos.

3 Mientras, se cuece el arroz.

4 En una sartén con un poco de aceite de oliva se asa la rodaja de atún, que previamente se habrá salpimentado por ambos lados. Cuando ya está lista, se retira, se eliminan las espinas y se trocea.

5 Seguidamente, en una sartén, se sofríe la cebolla finamente picada en la mantequilla; cuando comience a dorarse, se agrega la harina y, poco a poco, la leche, sin dejar de remover con la cuchara para evitar que se formen grumos.

6 Cuando el arroz está en su punto, se retira del fuego y se escurre después de haber cortado la cocción pasándolo por el chorro de agua fría del grifo.

7 Se mezcla con tres cuartas partes de la salsa (la otra parte se reserva) y el pescado azul.

8 Finalmente, con una cuchara, se rellenan las alcachofas asadas. Se vierte por encima el resto de la salsa, se espolvorea con el queso rallado y se gratina en el horno a 180-200 °C durante 10 minutos.

* Exquisito plato que combina las mejores virtudes de la dieta para diabéticos: los hidratos de carbono, la fibra y las proteínas del pescado azul.

Arroz integral tres sabores

👤	**4 personas**
🕐	**30 minutos**
👨‍🍳	**Fácil**
$	**Económico**
⚖	**280 calorías**
🌾	**Muy recomendable**

400 g de arroz integral
400 g de piña natural
250 g de atún fresco (una rodaja)
250 g de salchichas frescas
1 cebolla pequeña
1/2 limón
4 cucharadas de aceite de oliva
8 dl de caldo vegetal
Sal y pimienta

1 Se tritura la cebolla y se sofríe en una cazuela con el aceite de oliva sin que llegue a coger color.

2 Seguidamente, se rehogan las salchichas unos minutos. Cuando estén listas, se retiran y se reservan.

3 Se sofríe ahora la rodaja de atún, que antes se habrá rociado con jugo de limón y se habrá salpimentado. Se retira y reserva.

4 A continuación, se incorpora el arroz, se tuesta un poco y se completa con el caldo vegetal; se lleva todo a ebullición y se deja que cueza a fuego medio 5 minutos, y luego a fuego lento durante otros 10 minutos. Se rectifica la sal antes de retirar del fuego.

5 Finalmente, se escurre el arroz y se mezcla en una fuente con las salchichas cortadas en trocitos, el atún desmigado y la piña natural troceada.

6 Se sirve en una fuente acompañado de queso parmesano.

Arroz a la menta

🧍	**4 personas**
🕐	**40 minutos**
😋	**Fácil**
$	**Económico**
⚖️	**310 calorías**
	Recomendable

300 g de arroz integral
400 g de tomates maduros
1 cebolla mediana
2 cucharadas de menta fresca picada
1 cucharadita de canela molida
50 g de pasas de Corinto
50 g de piñones
50 de mantequilla
1 vaso de vino blanco
Sal y pimienta
Aceite de oliva

1 En primer lugar, se hierve el arroz en una olla con agua y un poco de sal. Una vez cocido, se escurre y se reserva.

2 Seguidamente, se pica la cebolla finamente y se sofríe con la mantequilla a fuego medio, durante un par de minutos.

3 A continuación, se agrega el vino junto con las pasas, los piñones, la menta y la canela molida, y se rehoga todo 5 minutos; transcurrido este tiempo, se salpimenta.

4 Mientras se hace el sofrito, se lavan y se pelan los tomates, y se pasan por el colador chino. El puré resultante se incorpora al sofrito de pasas. Es muy importante, ya que se trata de un plato para diabéticos, no añadir azúcar al tomate (por ello es importante trabajar con tomates naturales, para evitar la acidez de los concentrados y conservas).

5 Se deja que se haga el tomate a fuego bajo durante 10 minutos. Finalmente, se mezcla todo en una fuente y ya puede servirse.

Arroz con morcilla

🧍	**4 personas**
🕐	**30 minutos**
😋	**Fácil**
$	**Económico**
⚖️	**330 calorías**
	Recomendable

400 g de arroz
2 pimientos rojos
2 morcillas de cebolla
1/2 l de leche
1 cebolla mediana
2 cucharadas de harina
2 cucharadas de aceite de oliva
50 g de queso parmesano rallado
1 diente de ajo
Sal y pimienta

1 En primer lugar, se hierve el arroz, se escurre y reserva. Mientras, se asan los pimientos en el horno a 180°.

2 En una cacerola se dispone el aceite a fuego medio, y en él se rehogan las morcillas (que previamente se habrán pinchado con un palillo) junto con el diente de ajo. Se añade la cebolla finamente picada y se deja hasta que empiece a dorarse.

3 En ese momento, se agrega la harina procurando que no se formen grumos.

4 A continuación, se vierte la leche, y se remueve bien para conseguir una salsa homogénea. Luego se incorpora el arroz escurrido y se deja cocer a fuego lento unos 3 minutos, al término de los cuales se coloca en una fuente de horno.

5 Se adorna con tiras de pimiento rojo y se espolvorea con el queso rallado. Finalmente, se gratina a 180 °C durante unos 10 minutos.

* Las morcillas hacen que el plato resulte mucho más sabroso. A la hora de servir el plato, cada comensal elegirá la cantidad de embutido que consumirá, aunque se recomienda que no sea excesiva, para que la aportación de grasas no sea muy alta.

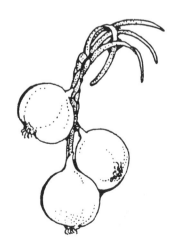

Arroz con puré de frutas

👤	**4 personas**
🕐	**30 minutos**
👨‍🍳	**Fácil**
$	**Económico**
⚖	**310 calorías**
🌶	**Muy recomendable**

300 g de arroz integral
4 manzanas golden
2 aguacates
50 g de pasas de Corinto
1 cucharada de harina
1/4 l de leche
50 g de mantequilla
1 vaso de vino blanco
Sal y pimienta

1 Se cuece el arroz con sal.

2 Se pelan y se trocean las manzanas en daditos; se rocían con jugo de limón. Se procede de la misma manera con los aguacates.

3 A continuación, se pone una cacerola a fuego medio y se funde en ella la mantequilla. Se rehoga la fruta.

4 Cuando esté melosa, se retira y se pasa por el pasapurés. Después se incorporan a la cacerola el vino y las pasas, y se rehogan otros 5 minutos.

5 Transcurrido este tiempo, se agrega la harina y la leche y se remueve bien. Se salpimenta y se retira del fuego.

6 Se escurre el arroz una vez cocido y se mezcla con la salsa de frutas. Combina bien como guarnición de un segundo de carnes rojas asadas o caza.

Arroz con salsa de cangrejo

🧍	4 personas
🕐	30 minutos
👨‍🍳	Fácil
$	Económico
⚖️	300 calorías
🖐️	Muy recomendable

300 g de arroz
400 g de cangrejos
400 g de gambas pequeñas
50 g de mantequilla
1/2 l de leche
1 cucharada de harina
1 limón
1 vasito de vino blanco
Sal y pimienta

1 Se cuece el arroz.

2 Mientras, se lavan los cangrejos y se rocían con el jugo del limón; se cuecen al vapor durante 10 minutos y, cuando están listos, se pasan por el colador chino. La salsa resultante se reserva.

3 Se salpimentan las gambas y se hacen a la parrilla con unas gotitas de aceite y de limón.

4 Cuando esté listo el arroz, se corta la cocción con agua fría y se escurre.

5 Se prepara en un cazo la salsa base con la harina y la leche, removiendo bien para que no se formen grumos. Luego se mezcla con la de cangrejo y con el vino, y se salpimenta.

6 Se mezcla la salsa con las gambitas peladas y el arroz en una fuente.

Arroz con verduritas y ternera

🧍	4 personas
🕐	40 minutos
👨‍🍳	Fácil
$	Económico
⚖️	320 calorías
🖐️	Muy recomendable

400 g de arroz
100 g de jamón de York
200 g de magro de ternera
200 g de guisantes
1 cebolla grande
1 cucharada de aceite de oliva
1 hebra de azafrán
8 dl de agua
1 vasito de vino tinto
Sal y pimienta

1 En primer lugar, se sofríe en el aceite la cebolla bien picada. Cuando se comienza a dorar, se incorpora la carne de ternera cortada en tiras finas (de unos 5 cm de largo y 1 cm de ancho).

2 Transcurridos un par de minutos, se incorpora el jamón en dados finos, y se riega con el vino, removiendo bien para que no se pegue.

3 En este momento se incorpora el arroz, sin dejar de remover con una cuchara de madera, para que empiece a coger un tono dorado sin pegarse. Se añade el agua y el azafrán.

4 Mientras, se ponen a hervir los guisantes en un cazo aparte, con agua y un poco de sal. Una vez cocidos, se incorporan al arroz y se rectifica la sal.

* Este plato es rico en hidratos de carbono complejos, y prácticamente está libre de grasas animales; por eso, resulta muy indicado en dietas equilibradas para personas que presentan cualquier tipo de diabetes.

Arroz Wakame

👤	**4 personas**
🕐	**40 minutos**
👒	**Fácil**
$	**Económico**
⚖	**310 calorías**
🥄	**Muy recomendable**

300 g de arroz
200 g de algas Wakame
1 cebolla mediana
1 vasito de aceite de maíz
200 g de magro de cerdo
1 diente de ajo
7 dl de caldo vegetal
Salsa de soja
Sal y pimienta

1 Las algas Wakame se pueden encontrar en las tiendas de alimentos orientales, o en algunas secciones especializadas de los supermercados. Se pueden adquirir frescas o secas (si se elige esta segunda opción, habrá que rehidratarlas antes).

2 En primer lugar, se pone a hervir el arroz en una olla con agua y sal a fuego vivo.

3 Seguidamente, se lava, se pela y se corta bien fina la cebolla.

4 A continuación, se sofríe en una cacerola con el aceite de maíz y el ajo.

5 Mientras, se trocea la carne en tiras finas. Se incorpora a la cacerola y se deja estofar unos minutos.

6 Se agregan las algas y el caldo vegetal, y se mantiene la cocción unos 5 minutos más.

7 Se retira el arroz de la olla y se escurre.

8 Finalmente, se mezcla en una fuente con la carne y su acompañamiento, y se rocía por encima con la salsa de soja.

Canelones de aguacate

👤	**4 personas**
🕐	**50 minutos**
👒	**Fácil**
$	**Económico**
⚖	**300 calorías**
🥄	**Muy recomendable**

16 placas de canelones
1 kg de aguacates
1 cebolla pequeña
1 vaso de jugo de tomate
1 vasito de vino blanco
2 cucharadas de aceite de oliva
Sal y pimienta
30 g de parmesano rallado
Salsa besamel

1 Se pelan y se trocean los aguacates. Seguidamente, se rehogan en un cazo con un vasito de agua y sal. Se rocían con un

ENSALADA VARIADA

50 g de canónigos, 50 g de berros, 50 g de escarola rizada, 50 g de hoja de roble, 1 cebolla roja, 1 pomelo amarillo, 1 pomelo rojo, aceite de oliva virgen extra, zumo de limón, sal

Lavaremos bien todos los ingredientes y los secaremos. Cortaremos la cebolla en rodajas finas y los pomelos en gajos, retirando la membrana que los recubre. Finalmente, uniremos en una ensaladera todas las verduras y les agregaremos los pomelos y la cebolla. Aliñaremos con aceite, sal y zumo de limón al gusto.

ENSALADA DE POLLO

2 pechugas de pollo asado, 2 tomates, 1 cebolla, 1 pimiento verde, 1 pimiento rojo, mayonesa baja en calorías, ensalada variada, 1 limón verde, 1 aguacate, aceite, sal

Filetearemos un par de pechugas de pollo asado; trocearemos los tomates, la cebolla y el pimiento verde, y cortaremos en cuadritos el pimiento rojo. En una bandeja dispondremos un lecho de ensalada variada con el tomate, la cebolla y el pimiento verde, y aliñaremos; colocaremos encima el pollo, y sobre este, el pimiento rojo. Adornaremos un extremo de la bandeja con un abanico formado con láminas de aguacate, limón y mayonesa.

BARBACOA DE VERDURAS

1 berenjena, cebollas tiernas, 1 pimiento rojo, 1 calabacín, aceite de oliva, sal, pimienta
Lavaremos y partiremos la berenjena, el pimiento rojo y el calabacín; limpiaremos bien las cebollas tiernas, y pincelaremos con el aceite de oliva todas las verduras. Cuando la barbacoa esté a punto, dispondremos sobre la parrilla las verduras, y a media cocción las sazonaremos con sal y pimienta.

CREMA DE TOMATE

600 g de tomates, ½ l de caldo, 20 cl de nata, queso parmesano rallado, 1 yema de huevo, sal y pimienta
Lavaremos los tomates y los cortaremos en cuartos. Los pondremos a cocer en una cacerola con el caldo de tomate.
Mientras, mezclaremos la nata con la yema de huevo y con 1 cucharada de queso parmesano rallado. Cuando el
tomate esté cocido, lo pasaremos por el pasapurés; finalmente, incorporaremos la mezcla de nata, calentaremos un
poco todo al fuego, salpimentaremos y serviremos la crema bien caliente.

chorrito de jugo de limón para que no pierdan el color.

2 Cuando alcanzan una consistencia melosa, se escurren bien y se trituran con la ayuda de un tenedor.

3 Seguidamente, se pela y se pica la cebolla, y se coloca en una cacerola con el aceite a fuego medio durante 10 minutos. Transcurrido este tiempo, se añade el jugo de tomate y el vasito de vino blanco, y se cuece a fuego lento otros 10 minutos.

4 Mientras, se prepara la besamel.

5 Cuando esté listo el sofrito de tomate, se retira del fuego, se mezcla con la pasta de aguacate y se rellenan los canelones.

6 Finalmente, se cubren con la besamel y el queso rallado. Se hornean a 180 °C, durante 10 minutos.

* En la elaboración de este plato hay que utilizar jugo de tomate natural, ya que los preparados pueden llevar azúcar añadido.

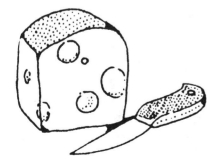

Canelones de col

👤	**4 personas**
🕐	**50 minutos**
♡	**Fácil**
$	**Económico**
⚖	**290 calorías**
〰	**Muy recomendable**

1 col de 1 kg aproximadamente
200 g de jamón York
250 g de canelones
50 g de piñones
50 g de mantequilla
60 g de queso parmesano
1 cucharada de harina
1 cucharada de aceite de oliva
1 vaso de leche
Sal y pimienta

1 En primer lugar, se lava y se pica la col. Seguidamente, se hierve en abundante agua con sal, y una vez cocida se escurre bien.

2 Mientras, se cuecen los canelones en agua con sal y un chorrito de aceite. En una sartén, se funde la mantequilla, y en ella se rehogan los piñones un par de minutos; al terminar, se mezclan con la picada de col y se reservan.

3 Seguidamente, se hace la besamel en una cacerola con la mantequilla, la harina y la leche, y se remueve bien para evitar que se formen grumos. Se salpimenta al gusto, y se deja que cueza a fuego lento otros 5 minutos.

4 Finalmente, se escurre la pasta una vez que ha cocido, y se rellena cada placa con la picada de col y piñones. Se van disponiendo los canelones en una fuente no muy honda, se cubren con la besamel y se espolvorean con el queso. Se gratinan durante 5 minutos y se sirven.

Canelones dos gustos

👤	**4 personas**
🕐	**40 minutos**
🎩	**Fácil**
$	**Económico**
⚖️	**330 calorías**
〰️	**Muy recomendable**

16 placas de canelones
200 g de carne picada de ternera
400 g de almejas
4 tomates maduros
2 dientes de ajo
1 cebolla pequeña
1 cucharada de aceite de oliva
50 g de mantequilla
1 pizca de salvia, laurel y romero
Sal y pimienta
Salsa besamel
30 g de parmesano rallado
1 vasito de vino blanco

1 Se hacen al vapor las almejas. Se lavan, se pelan y se trocean los tomates, y se les quitan las semillas. Por otra parte, se pela y se pica bien fina la cebolla.

2 Seguidamente, se pone una cacerola con el aceite de oliva a fuego medio, y se sofríe en ella la cebolla picada y el ajo. Se rehoga unos minutos y cuando comienza a dorarse, se incorpora el tomate triturado, las hierbas aromáticas y el vino blanco. Se salpimenta y se deja que se haga todo durante otros 10 minutos.

3 En otra sartén, a fuego medio, se funde la mantequilla. Se rehoga en ella la carne picada, y se salpimenta.

4 Mientras, se va preparando la besamel, y se cuece y se reserva la pasta.

5 Finalmente, se quitan las valvas a las almejas y se mezclan con la picada de ternera y el sofrito. Con la mezcla se rellenan las placas de pasta. Se cubre con besamel y queso y se gratina en el horno a 160° durante 5 minutos.

*Este es un plato que combina el sabor de la carne con el frescor del marisco. Para los diabéticos, ofrece la ventaja de que aporta proteínas de alta calidad sin apenas grasa. Para ello, habremos de seleccionar un trozo de carne magro y haremos que nos lo piquen al momento, y no utilizaremos la carne que se vende envasada, pues es más rica en grasa.

Canelones de salmón

👤	**4 personas**
🕐	**50 minutos**
👩‍🍳	**Muy fácil**
$	**Medio**
⚖️	**240 calorías**
🌾	**Muy recomendable**

16 placas de canelones
500 g de salmón fresco
4 pimientos rojos
3 tomates maduros
3 cebollas
2 dientes de ajo
1 cucharada de aceite de oliva
Sal y pimienta
Salsa besamel
30 g de parmesano rallado

1 Se lavan, se pelan y se pican finamente las cebollas. A continuación, se lavan, se pelan y se limpian de semillas los tomates.

2 En una cazuela, se dora la cebolla. Después se añade el ajo y los pimientos; se rehoga todo durante 5 minutos.

3 A continuación, se incorpora el tomate troceado o pasado por el pasapurés. Se adereza con sal y pimienta, y se deja otros 5 minutos, para que espese la salsa.

4 Se cocina el salmón en el horno a unos 200 °C. Cuando esté listo, se le quitan las espinas y se desmenuza.

5 Finalmente, se mezcla el salmón con la salsa del sofrito y con esta pasta se rellenan los canelones; luego se cubren con la besamel, se espolvorea el queso y se gratina en el horno a 180° durante 10 minutos.

Espaguetis con frutos del mar

👤	**4 personas**
🕐	**20 minutos**
👩‍🍳	**Muy fácil**
$	**Medio**
⚖️	**370 calorías**
🌾	**Muy recomendable**

250 g de espaguetis
16 gambas pequeñas
200 g de almejas
200 g de chirlas
400 g de mejillones
50 g de mantequilla
50 g de parmesano rallado
1 cucharada de aceite de oliva
1 vasito de vino blanco
Sal y pimienta

1 Se hierven los espaguetis en una cazuela con agua, sal y un chorrito de aceite.

2 Mientras, se preparan las almejas, las chirlas y los mejillones: se lavan bien y se colocan en una cacerola con el vino blanco y un chorro de zumo de limón.

3 Se cuecen y, cuando estén abiertas, se retiran del fuego. El jugo se reserva.

4 A continuación, se separa la carne de las valvas.

5 Las gambitas se preparan a la parrilla, convenientemente salpimentadas.

6 Cuando los espaguetis ya están *al dente*, se escurren. En un cazo amplio se funde la mantequilla a fuego medio.

7 Se añade la pasta, las almejas, las chirlas, los mejillones con su jugo y el queso parmesano. Con la espátula se remueve bien y se deja durante un par de minutos. Se rectifica la sal, se coloca todo en una fuente y se sirve, adornado con las gambas.

Lasaña provenzal

👤	**4 personas**
🕐	**60 minutos**
🍲	**Difícil**
$	**Medio**
⚖	**350 calorías**
🖌	**Muy recomendable**

1 cajita de placas de lasaña
500 g de berenjenas
200 g de setas frescas
50 g de jamón serrano
50 g de parmesano rallado
50 g de mantequilla
1 cucharada de aceite oliva
Sal y pimienta
1 limón

1 Se pelan y se trocean las berenjenas, y se hierven con el jugo de medio limón; a continuación, se escurren bien.

2 Mientras, se lavan y se cortan las setas en láminas. Se rocían con el jugo de la otra mitad del limón y, en una cazuela aparte, se rehogan con el aceite de oliva.

3 A continuación, se agregan las berenjenas y el jamón finamente triturado. Se rectifica la sal.

4 Se hierve la pasta en una cazuela con agua, sal y unas gotas de aceite. Cuando esté lista, se escurre bien.

5 Se disponen en una fuente capas de pasta y de relleno, alternativamente, hasta que se terminen los ingredientes, finalizando con una capa de pasta. Se ponen unos trozos de mantequilla por encima, y se espolvorea el parmesano rallado.

6 Finalmente, se gratina en el horno a 180 °C hasta que se dore el queso.

Lasaña de verduras

👤	**4 personas**
🕐	**40 minutos**
🍲	**Fácil**
$	**Económico**
⚖	**280 calorías**
🖌	**Muy recomendable**

250 g de lasaña
1 lechuga
2 zanahorias
200 g de tomatitos
3 cebollitas tiernas (para ensalada)
1 ramita de perejil
50 g de mantequilla
1 chorrito de aceite
Sal y pimienta

1 Se hierve en una olla la pasta en abundante agua con sal y un chorrito de aceite.

2 Mientras, se lavan, se pelan y se cortan las hortalizas (las zanahorias, ralladas; la cebolla, en tiras finas en el sentido del tallo; el tomate, en trocitos).

3 En un cazo con un chorrito de aceite de oliva, y a fuego medio, se saltean las verduras durante 3-4 minutos (han de quedar crudas, pero ligeramente melosas por fuera).

4 A continuación, se retira la pasta del fuego y se escurre; se reserva, procurando que no se enfríe.

5 En una fuente, se va alternando una capa de pasta con una de verduras, hasta que se acaben los ingredientes, teniendo en cuenta que se debe finalizar con una de pasta. Finalmente, se espolvorea con el parmesano y se gratina 10 minutos en horno a 180 °C.

Macarrones con ensalada de sardinas

👤	**4 personas**
🕐	**40 minutos**
👨‍🍳	**Fácil**
$	**Económico**
⚖	**300 calorías**
📎	**Muy recomendable**

300 g de macarrones
300 g de sardinas frescas
1 vaso de aceite de oliva
250 g de judías verdes
20 g de parmesano
Unas ramitas de albahaca
Perejil picado
Sal y pimienta

1 Se lavan las judías verdes y se les quitan las puntas; a continuación, se hierven

en abundante agua con sal. Cuando están cocidas, se retiran del fuego, se escurren y en el caldo se ponen a cocer los macarrones.

2 Seguidamente, se prepara la salsa verde triturando las judías junto con el queso rallado, el aceite, la albahaca y el perejil.

3 Se limpia y se salpimenta el pescado, y se hace en una parrilla a la brasa con unas gotitas de aceite. Cuando esté listo, se desmenuza, y se le quitan las espinas.

4 Finalmente, se escurren los macarrones y se mezclan con la salsa verde y las sardinas en una fuente.

Macarrones con salmón ahumado

👤	**4 personas**
🕐	**50 minutos**
👨‍🍳	**Fácil**
$	**Medio**
⚖	**300 calorías**
📎	**Muy recomendable**

250 g de macarrones
250 g de salmón ahumado
100 g de pasas
200 g de champiñones
25 g de harina
100 g de queso parmesano rallado
1/2 l de leche
1 cebolla pequeña
2 dientes de ajo
2 cucharadas de aceite
Sal y pimienta

1 Se pela y se pica la cebolla.

2 Se pone una cacerola con el aceite en el fuego, y cuando este está bien caliente se añade la cebolla picada y los dientes de ajo.

3 Se rehoga 5 minutos, y luego se añade la harina. Con la espátula se remueve para que no se formen grumos, hasta que se empiece a tostar.

4 En ese momento, se añaden los champiñones y las pasas, se dejan un par de minutos y se agrega la leche. Se incorpora la mitad del queso rallado, y se salpimenta. Se mezcla todo con la cuchara de madera, y ya puede retirarse del fuego.

5 Por último, se escurre la pasta y se pone en una fuente; seguidamente, se incorpora el salmón desmenuzado y la salsa, se mezcla bien, se espolvorea con el queso parmesano restante y se gratina. Se sirve bien caliente.

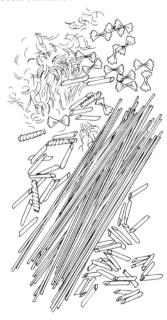

Paella de pescador

👤	**4 personas**
🕐	**40 minutos**
🎩	**Fácil**
$	**Medio**
⚖	**300 calorías**
〰	**Muy recomendable**

300 g de arroz
1/4 kg de gambas frescas
150 g de chirlas
1/2 kg de calamares
1 pimiento rojo
6 alcachofas
100 g de guisantes
1 cebolla pequeña
2 tomates maduros medianos
1 diente de ajo
1 vasito de aceite de oliva
5-6 vasos de caldo vegetal

1 En primer lugar, se ponen las chirlas a remojo en agua fría con sal. Se lavan las alcachofas, se quitan las hojas más externas y se parten por la mitad. Después, se limpia, se pela y se pica bien fina la cebolla. Se pelan y se pican también los tomates, y se les quita las semillas.

2 A continuación, se hace un sofrito en la paellera con el aceite, la cebolla picada, el diente de ajo y el tomate. Se mantiene a fuego medio 10 minutos.

3 Mientras, se escaldan las chirlas. Cuando estén listas, se reservan.

4 A los 5 minutos, se incorporan a la paella las alcachofas, los guisantes y el pimiento troceado; se rehoga todo hasta que se dore un poco.

5 Seguidamente, se sofríen las gambas y el calamar durante un par de minutos, removiendo.

6 En este momento se incorpora el arroz, que se mezcla bien con el sofrito.

7 Inmediatamente, se agrega el caldo templado y se cuece a fuego vivo aproximadamente unos 15-20 minutos.

8 Finalmente, se retira la paella del fuego y se mantiene tapada con un trapo limpio unos 5 minutos, para que se complete así la cocción del arroz.

9 Se sirve inmediatamente.

Paella valenciana a la antigua

👤	**4 personas**
🕐	**45 minutos**
👒	**Fácil**
$	**Económico**
⚖	**350 calorías**
🌿	**Muy recomendable**

400 g de arroz integral
200 g de judías verdes
2 tomates maduros
6 alcachofas
400 g de conejo troceado
1 cebolla mediana
2 dientes de ajo
2 pimientos rojos
4 cucharadas de aceite de oliva
1 l de caldo vegetal o agua
1 hebra de azafrán
El zumo de un limón
Sal y pimienta

1 Se preparan los ingredientes: se lavan y se trocean las judías, las alcachofas y la cebolla; las alcachofas se rocían con el jugo del limón para que no pierdan color; los pimientos se lavan y se asan en el horno; los tomates se trituran; se salpimenta la carne.

2 Se pone el aceite en una paellera y se sofríe la carne a fuego medio, un par de minutos por cada lado (con esta operación se consigue que se cierren los poros y así queda más jugosa por dentro). A continuación, se reserva.

3 Seguidamente, se hace un sofrito en la paellera con el ajo, la cebolla y el tomate bien picados.

4 Se incorporan las judías y las alcachofas.

5 Al cabo de 5 minutos se añade el arroz, y se remueve un par de minutos con la cuchara de madera.

6 Se agrega el caldo, la carne y el azafrán, y se deja que cueza todo a fuego medio durante aproximdamente 15 minutos; se rectifica la sal.

7 Se retira la paella del fuego y se cubre con un trapo para que se complete la cocción.

8 Por último, se deja reposar unos minutos y se sirve.

Pastel de bacalao y patatas

👤	**4 personas**
🕐	**50 minutos**
👨‍🍳	**Muy fácil**
$	**Medio**
⚖	**320 calorías**
🖐	**Muy recomendable**

600 g de patatas
400 g de bacalao desalado
2 pimientos rojos
2 cucharas de aceitunas verdes
1 cucharada de aceite de oliva
1 vaso de vino blanco
50 g de mantequilla
1 hoja de laurel
Sal y pimienta

1 Se lavan las patatas, se mondan y se cuecen. Se cuecen también los pimientos.

2 En una sartén, se funde la mantequilla a fuego medio y se sofríe el bacalao desmigado con la hoja de laurel; se riega con el vino blanco.

3 Transcurridos 20 minutos, se retiran las patatas del fuego y pasan por el pasapurés.

4 En un bol, se pica un pimiento y algunas aceitunas con una cucharada de aceite hasta formar una pasta homogénea.

5 A continuación, se extiende en una fuente una base de puré de patatas, en forma de pastel.

6 Encima se coloca una capa con las migas de bacalao y la pasta de pimientos y aceitunas, y se cubre todo con otra capa de puré patatas.

7 Finalmente, se adorna con el pimiento y con el resto de las aceitunas. Este plato puede servirse frío o caliente.

Patatas con relleno de marisco

👤	**4 personas**
🕐	**40 minutos**
👨‍🍳	**Fácil**
$	**Económico**
⚖	**280 calorías**
🖐	**Muy recomendable**

4 patatas grandes (una por persona)
12 mejillones
400 g de almejas
1 vasito de vino blanco
1 cebolla mediana
2 cucharadas de aceite de oliva
Salsa vinagreta (véase salsas)
Sal
Perejil picado

1 Para empezar, se lavan bien las patatas enteras (sin pelar) y se ponen a hervir en una olla con agua y con una pizca de sal. Se pela y se pica bien fina la cebolla.

2 Se cuecen al vapor los mejillones y las almejas con el vino. Cuando estén listos, se separa la carne de las valvas y se reservan.

3 Mientras hierven las patatas, se calienta el aceite en una cacerola a fuego medio y se sofríe la cebolla hasta que esté dorada.

4 A continuación, se retiran las patatas del fuego, se enfrían y se parten por la mitad.

5 Se aliña el marisco con una parte de la salsa vinagreta, y se pone entre las mitades de patata, que se cierran formando una especie de bocadillos; se riega con el resto de la salsa.

6 Finalmente, se adorna con perejil picado.

Patatas a la salsa blanca de marisco

👤	**4 personas**
🕐	**60 minutos**
👨‍🍳	**Fácil**
$	**Económico**
⚖	**340 calorías**
〰	**Muy recomendable**

1 kg de patatas
1/2 kg de chirlas
1/2 kg de mejillones
50 g de queso parmesano
Salsa besamel (véase salsas)
1/2 limón
1 vasito de vino blanco
Sal

1 Se pelan y se trocean las patatas, y se cuecen en una cazuela con agua y sal durante unos 30 minutos.

2 Mientras, se lavan las chirlas y los mejillones con agua fría y sal, y se escaldan en una cacerola; se separa la carne de las valvas, y se rocían con jugo de limón.

3 Se pasa por la batidora la carne de los mejillones con el vasito de vino blanco.

4 Se cortan las patatas en rodajas de medio centímetro de grosor, se colocan en el fondo de una fuente, y se cubren con la salsa de mejillones. Se disponen las chirlas por encima y una parte del parmesano rallado, y se tapa todo con una segunda capa de patatas.

5 Seguidamente, se añade la besamel y se espolvorea con el resto del parmesano.

6 Por último, se gratina durante 10 minutos y se sirve.

Patatas con virutas de jamón

👤	**4 personas**
🕐	**40 minutos**
👨‍🍳	**Fácil**
$	**Económico**
⚖	**300 calorías**
〰	**Muy recomendable**

700 g de patatas
150 g de virutas de jamón serrano
1 cebolla mediana
1/4 l de leche
50 g de mantequilla
Sal

1 Se lavan las patatas y se ponen a cocer en agua fría con sal.

2 Seguidamente, se corta fina la cebolla y se dora en una cazuela con la mantequilla. Cuando está lista, se rehogan también las virutas de jamón.

3 Se retiran las patatas del fuego un poco antes de que se complete su cocción, se escurren y se cortan en dados.

4 Se incorporan al sofrito, y se rectifica la sal. Se deja que cueza todo unos minutos, y se remueve para evitar que se pegue.

5 Se agrega la leche, y se baja el fuego. Se deja que cueza otros 15 minutos, removiendo con delicadeza para que no se deshagan las patatas.

6 Se retira del fuego y sirve de inmediato.

1 Se pica finamente la cebolla, y se sofríe junto con el ajo en una cazuela con aceite.

2 Se limpian bien los pulpitos, y se rehogan con la cebolla y el vino durante 5 minutos.

3 Mientras, se lavan y se mondan las patatas; se cortan en daditos y se incorporan a la cazuela; se rehogan durante cinco minutos, removiendo a menudo para que no se peguen.

4 Finalmente, se añade el pimentón, se remueve un par de minutos, se incorpora el caldo vegetal y se deja que cueza unos 20 minutos a fuego medio.

5 Se vierte todo en una sopera, y se añade el perejil picado y el azafrán.

Pote de patatas con pulpitos

👤	**4 personas**
🕐	**40 minutos**
👨‍🍳	**Fácil**
$	**Medio**
⚖️	**280 calorías**
〰️	**Muy recomendable**

1 kg de patatas
400 g de pulpitos
1 cebolla grande
1 diente de ajo
1 cucharadita de pimentón
4 cucharadas de aceite de oliva
1 l de caldo vegetal
1 vasito de vino blanco
Perejil picado
Azafrán
Sal

Puchero verde de arroz

👤	**4 personas**
🕐	**30 minutos**
👨‍🍳	**Fácil**
$	**Económico**
⚖️	**280 calorías**
〰️	**Muy recomendable**

400 g de arroz
4 tomates maduros
200 g de guisantes
200 g de judías verdes
2 zanahorias
1 cebolla mediana
1 pimiento rojo
1 pimiento verde
100 g de beicon
2 cucharadas de aceite de oliva
Sal

1 En primer lugar, se lavan, se pelan y se trocean las zanahorias y las judías. Se lavan los pimientos y se cortan en dados. La cebolla se pica finamente, y los tomates se trituran.

2 A continuación, se pone una cacerola a fuego medio con el aceite de oliva. En ella se rehogan la zanahoria, la cebolla, el pimiento y el beicon. Al cabo de 4 minutos, se incorporan los guisantes y las judías.

3 Transcurridos otros 4 minutos, se añade el tomate triturado. Se sofríe unos minutos y se añade el arroz, removiendo con una cuchara de madera para que se tueste un poco. Se vierte entonces el agua (doble cantidad que de arroz) y se deja que cueza a fuego medio, con la cazuela destapada, unos 10 minutos.

4 Finalmente, se retira del fuego y se deja reposar 5 minutos antes de servir.

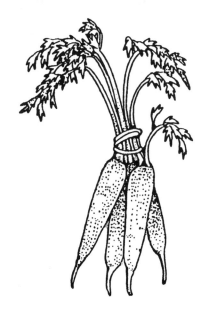

Revoltillo de arroz y garbanzos

👤	**4 personas**
🕐	**Más de 2 horas**
🍲	**Fácil**
$	**Económico**
⚖	**300 calorías**
	Recomendable

300 g de garbanzos
200 g de arroz
2 patatas medianas
1 cebolla mediana
2 dientes de ajo
2 cucharadas de aceite de oliva
1 ramita de perejil
Salsa mayonesa
Agua
1 pizca de bicarbonato
Sal

1 El día anterior se ponen en remojo los garbanzos en agua con una cucharadita de bicarbonato.

2 Se lavan y se pelan las cebollas y las patatas. Seguidamente, se coloca una olla en el fuego con el aceite y se rehoga en ella la cebolla un par de minutos.

3 Mientras, se lavan bien los garbanzos. Se escurren, se ponen en la olla y se cubren con agua templada y una pizca de sal. Se cuece a fuego vivo unas dos horas.

4 Cuando los garbanzos ya casi están, se añaden las patatas cortadas en dados.

5 Transcurridos 15 minutos, se incorpora el arroz y se deja cocer a fuego moderado otros 15 minutos.

6 Se retira la olla del fuego, se cuela su contenido y se dispone en una fuente honda.

7 Con el mortero, se pica el diente de ajo y el perejil, y se añade a la picada un poco de sal. Se espolvorea por encima de la fuente.

8 Se lleva a la mesa con la mayonesa para que cada comensal se sirva al gusto.

Revoltillo de patatas y huevos

👤	**4 personas**
🕐	**50 minutos**
🍽	**Muy fácil**
$	**Económico**
⚖	**350 calorías**
〰	**Muy recomendable**

600 g de patatas
2 huevos enteros
1 cebolla mediana
2 tomates
Salsa vinagreta (véase salsas)
2 cucharas de aceitunas verdes
Perejil picado
Sal

1 Se lavan y se cuecen las patatas con la piel. Mientras, se preparan los tomates para ensalada, y se corta la cebolla en rebanadas finas en forma de media luna.

2 A continuación, se cuecen los huevos en agua con sal. Cuando las patatas están listas (20 minutos), se enfrían, se pelan y se cortan en rodajas.

3 Se colocan en una fuente, ligeramente montadas una sobre otra. Alrededor, se disponen los trozos de tomate, la cebolla y las aceitunas.

4 Se pelan y se rallan los huevos duros, y se incorporan a la vinagreta, mezclando bien.

5 Finalmente, se espolvorea la fuente con perejil picado y se rehoga todo con la vinagreta. Este plato se sirve frío, y está especialmente indicado para los días más calurosos del verano.

Sukiyaye de ave

👤	**4 personas**
🕐	**35 minutos**
🍽	**Muy fácil**
$	**Económico**
⚖	**350 calorías**
〰	**Muy recomendable**

400 g de arroz
4 tomates maduros
200 g de guisantes
200 g de judías verdes
400 g de pechuga de pollo
2 zanahorias
1 cebolla mediana
1 pimiento rojo
1 pimiento verde
2 cucharadas de aceite de oliva
2 cucharadas de salsa de soja
2 cucharadas de sake
Sal

1 Se lavan, se pelan y se trocean las zanahorias y las judías. Seguidamente, se limpian y se cortan en dados los pimientos. La cebolla se pica bien fina, y los tomates se trituran sin las semillas.

2 La pechuga de pollo se corta en tiras finas y se macera con el sake y la salsa de soja.

3 Se pone una cacerola a fuego medio con el aceite de oliva, la pechuga en su jugo y, a los dos minutos, se agrega la zanahoria, la cebolla y el pimiento. Al cabo de 4 minutos, se incorporan los guisantes y las judías.

4 A continuación, se añade el tomate triturado y se deja rehogar 5 minutos, y luego se incorpora el arroz, removiendo con una cuchara de madera para que se tueste un poco.

5 Finalmente, se agrega el agua (doble cantidad que de arroz) y se cuece a fuego medio y con la cazuela destapada unos 15 minutos. Se retira del fuego y enfría en la nevera durante 1 hora.

Tallarines con alcachofas

👤	**4 personas**
🕐	**40 minutos**
💗	**Fácil**
$	**Económico**
⚖️	**300 calorías**
〰️	**Muy recomendable**

300 g de tallarines
1 kg de alcachofas
1 tomate maduro
1 pimiento verde
2 calabacines
1 berenjena
1 cebolla pequeña
1/2 l de caldo vegetal
2 cucharadas de aceite de oliva
1 vasito de vino blanco
Perejil
Sal y pimienta

1 Se lavan las hortalizas, y se pelan las que lo requieran. Se cortan en daditos el pimiento y los calabacines. Se eliminan las hojas más externas de las alcachofas, se trocean y se rocían con limón para que no pierdan color. Se pica la cebolla.

2 Se pela el tomate, se le quitan las semillas y se tritura con un tenedor.

3 A continuación, se hierve la pasta en agua con sal y unas gotitas de aceite.

4 En una cacerola ancha se rehogan las verduras con el aceite. Transcurridos 5 minutos, se incorpora el caldo vegetal y se deja que cueza todo durante un cuarto de hora, con la cazuela destapada, hasta que el agua se haya reducido a la mitad. Se riega entonces con el vino blanco.

5 Una vez finalizada la cocción, se espolvorea el perejil triturado. Se rectifica la sal.

6 Para terminar, se escurren los tallarines y se mezclan en una fuente con las verduras.

7 Este plato puede servirse caliente o frío. Resulta idóneo para los diabéticos, por su aporte de hidratos de carbono de absorción lenta.

Tallarines con espárragos

👤	**4 personas**
🕐	**30 minutos**
🍳	**Fácil**
$	**Económico**
⚖️	**300 calorías**
🖐️	**Muy recomendable**

1/2 kg de espárragos tiernos
250 g de tallarines
1 diente de ajo
1 cucharada de aceite de oliva
50 g de mantequilla
1 ramita de romero
1 hoja de laurel
Sal y pimienta
Agua
1 vasito de vino blanco

1 Primeramente, se lavan los espárragos (que deben ser muy tiernos, ya que se cocinan enteros) y se desechan las puntas que se vean demasiado duras.

2 Seguidamente, se atan en manojos y se colocan en un cazo con dos dedos de agua y el vasito de vino para cocerlos, a fuego medio y tapados, durante 15 minutos.

3 A media cocción se añade el diente de ajo, la hoja de laurel y la ramita de romero.

4 En una olla aparte, se pone a hervir la pasta con agua, sal y un chorrito de aceite.

5 Se retiran los espárragos del fuego y se cortan por la mitad en sentido longitudinal. Se reserva el caldo de la cocción.

6 Una vez que la pasta está *al dente*, se retira del fuego, se escurre (antes se habrá cortado la cocción bajo el chorro de agua fría del grifo) y se mezcla con el caldo y la verdura.

Tallarines con espinacas

👤	**4 personas**
🕐	**40 minutos**
🍳	**Fácil**
$	**Económico**
⚖️	**280 calorías**
🖐️	**Muy recomendable**

250 g de tallarines
1/2 kg de espinacas
100 g de mantequilla
50 g de parmesano rallado
1/2 l de leche
2 cucharadas de harina
Sal y pimienta

1 Se lavan y se cortan las espinacas. Seguidamente, se cuecen durante 15 minutos.

2 En una olla aparte, se cuece la pasta.

3 Mientras, se prepara la besamel con la harina, la leche y la mitad de la mantequilla; se salpimenta al gusto.

4 Una vez cocidas las espinacas, se saltean con un poco de mantequilla, se mezcla todo en una fuente, se cubre con parmesano y se gratina.

Tallarines con langostinos

👤	**4 personas**
🕐	**40 minutos**
👒	**Fácil**
$	**Medio**
⚖️	**280 calorías**
〰️	**Muy recomendable**

250 g de tallarines
400 g de judías verdes finas
400 g de langostinos
1 diente de ajo
2 cucharadas de aceite de oliva
50 g de mantequilla
50 g de parmesano rallado
1 vasito de vino blanco
Sal y pimienta
Albahaca

1 Se trocean las judías, y se cuecen.

2 Se cuece la pasta, y se hacen los langostinos a la plancha.

3 Se saltean las judías verdes con la mantequilla, el ajo y la albahaca; se riega con el vino, se mezclan todos los ingredientes, se espolvorea el queso y se gratina.

Tallarines con salsa de langostinos

👤	**4 personas**
🕐	**30 minutos**
👒	**Muy fácil**
$	**Medio**
⚖️	**320 calorías**
〰️	**Muy recomendable**

250 g de tallarines
400 g de langostinos
300 g de almejas
2 cucharadas de harina
1/2 l de leche
2 cucharadas de aceite de oliva
50 g de mantequilla
50 g de queso parmesano rallado
1 vasito de vino blanco
1/2 limón
Sal y pimienta

1 Se hierve la pasta en abundante agua con sal, y cuando esté *al dente* se escurre bien.

2 Mientras, se preparan los langostinos en una sartén junto con el aceite de oliva, el vino blanco y el jugo de medio limón.

3 En una cazuela aparte, se hacen las almejas al vapor para que se abran. Cuando estén listas, se retiran del fuego y se separa la carne de las valvas.

4 Una vez cocidos los langostinos, se pelan, se salpimentan y se pica su carne junto con el vasito de vino blanco.

5 Finalmente, se calienta la mantequilla a fuego medio en un cazo amplio. Cuando haya fundido, se incorpora la harina y la leche, y se remueve despacio para conseguir una salsa homogénea. En ese momento se añade la pasta, la salsa de langostinos, las almejas y el queso parmesano. Se remueve un par de minutos y ya puede servirse.

Tallarines con salsa de setas

👤	**4 personas**
🕐	**30 minutos**
🍴	**Fácil**
$	**Económico**
⚖	**300 calorías**
🔪	**Muy recomendable**

300 g de tallarines
2 cebollas pequeñas
400 g de níscalos
200 g de tomates pelados
50 g de mantequilla
1 vasito de vino blanco
1 vasito de aceite de oliva
Perejil
Sal

1 Se hierve la pasta en agua con sal.

2 Mientras, se limpian bien las setas y se trocean. Se pican las cebollas.

3 Se coloca una cacerola en el fuego con el aceite, las setas y las cebollas, y se dejan estos ingredientes unos minutos hasta que se doren.

4 Se añade después el tomate triturado (sin semillas), y se deja 3 minutos, al término de los cuales se riega con el vino

blanco. Se rectifica la sal, y se deja que cueza otros 10 minutos a fuego lento.

5 Por último, se dispone la pasta en una fuente, con el sofrito. Se mezcla y se sirve.

Vinagreta de arroz con coliflor

👤	**4 personas**
🕐	**40 minutos**
🍴	**Muy fácil**
$	**Económico**
⚖	**280 calorías**
🔪	**Muy recomendable**

400 g de arroz
800 g de coliflor
2 cucharadas de aceite de oliva
Sal y pimienta
Salsa vinagreta (véase salsas)

1 Se lava y se trocea la coliflor.

2 Se pone una cacerola con el aceite de oliva, y se sofríe la coliflor durante un par de minutos; seguidamente, se añade agua hasta cubrir y se lleva a ebullición.

3 En una olla aparte se cuece el arroz con agua, sal y un chorrito de aceite.

4 Cuando esté listo, se corta la cocción con agua fría y se escurre. Se hace lo mismo con la coliflor y, mientras, se va preparando la salsa vinagreta.

5 Se mezclan el arroz, la verdura y la vinagreta en una fuente, y se sirve.

Legumbres y verduras

Las legumbres son alimentos de un alto valor nutricional. Aportan, además, tanta o más fibra que las verduras, y tanto o más almidón que el arroz o la pasta, pero su aporte de proteínas es muy superior en calidad y cantidad. Sin llegar a tener la riqueza de las proteínas animales, las legumbres podrían cubrir un elevado porcentaje de las necesidades de aminoácidos de nuestro organismo. Garbanzos, lentejas o alubias deben estar presentes de forma asidua y regular en la dieta de niños y adultos, con diabetes o sin ella.

La verdura ejerce una función importante en la digestión, aunque secundaria en nuestra nutrición. Es un regulador de primera del tránsito intestinal, y con su consumo se evita el molesto estreñimiento, pero su aporte en energía y nutrientes es más bien pobre (aporta pequeñas cantidades de vitaminas y algunos hidratos de carbono aprovechables). No obstante, su efecto más beneficioso es la capacidad de retardar la absorción de nutrientes en el intestino delgado, con lo que se reduce el apetito y se crea una curva de glucosa más moderada y estable.

Acelgas con relleno de puré de patatas

👤	**4 personas**
🕐	**40 minutos**
🍳	**Fácil**
$	**Económico**
⚖️	**300 calorías**
🔱	**Muy recomendable**

1 kg de patatas
2 acelgas de hojas grandes
50 g de mantequilla
1/4 l de leche
150 g de beicon
50 g de parmesano rallado
Sal y pimienta
1 pizca de bicarbonato
Perejil picado

1 Se limpian bien las acelgas y se dejan las hojas enteras. Seguidamente, se hierven en agua con sal y una pizca de bicarbonato (para que su color sea más verde) durante 7 minutos.Transcurrido este tiempo, se retiran y se reservan.

2 Mientras, se mondan y se trocean las patatas, y se cuecen en agua con sal.

3 Una vez que las patatas están cocidas, se pasan por el pasapurés y se reservan.

4 En un cazo a fuego medio se funde la mantequilla. Seguidamente, se añade el beicon en trocitos pequeños, se rehoga y se incorpora el puré, sin dejar de remover. En este momento también se agrega la leche y se rectifica la sal.

5 Finalmente, se rellenan las hojas de acelga con el puré y se enrollan. Se dispo-

nen en una fuente de horno espolvoreadas con el queso parmesano, y se gratinan a 180 °C durante 10 minutos.

Caldereta de hortalizas

👤	**4 personas**
🕐	**30 minutos**
🍳	**Muy fácil**
$	**Económico**
⚖️	**240 calorías**
🔱	**Muy recomendable**

1/2 kg de alcachofas
2 patatas medianas
1 cebolla pequeña
400 g de champiñones
8 galeras
2 cucharadas de aceite de oliva
1 pizca de hierbas aromáticas
1 vasito de vino blanco
1 diente de ajo
Sal y pimienta

1 Se lavan las alcachofas, y se les quitan las hojas externas; se pelan las patatas y se trocean. Seguidamente, se cuecen durante 20 minutos.

2 Mientras, se lavan y se trocean los champiñones; se rocían con jugo de limón para que no se oscurezcan.

3 Se dora el diente de ajo en una sartén con el aceite de oliva.

4 A continuación, se rehogan los champiñones y las galeras, se riegan con el vino y se deja que se hagan durante 10 minutos. Se aromatizan con las hierbas.

5 Se incorpora este sofrito a la cazuela de las alcachofas y las patatas, y se deja que cueza un par de minutos. Se rectifica la sal, y ya se puede servir.

Cocido de judías a los dos gustos

👤	**4 personas**
🕐	**50 minutos**
👨‍🍳	**Fácil**
$	**Económico**
⚖️	**320 calorías**
🍃	**Muy recomendable**

400 g de zanahorias
200 g de judías verdes
200 g de judías blancas ya cocidas
1 ramita de apio
2 tomates maduros
100 g de tocino
4 huevos
20 g de parmesano
2 cucharadas de aceite de oliva
2 dientes de ajo
Albahaca
Sal y pimienta

1 Se pelan y se cortan en dados las zanahorias. Se lavan y se trocean las judías verdes, y se quitan los hilos. Se lava el apio.

2 Se cuece todo en una cazuela con agua, sal, ajo y aceite. Los tomates se pueden incorporar pelados y sin semillas, o bien enteros.

3 Transcurridos 20 minutos, se incorporan las judías blancas ya cocidas y el tocino cortado en dados.

4 Cuando falten unos minutos para que finalice la cocción, se salpimenta, se perfuma con la albahaca y se incorporan los huevos.

5 Se deja reposar unos minutos, se espolvorea con el parmesano y se sirve.

Cocido de judías leonesa

👤	**4 personas**
🕐	**120 minutos**
👨‍🍳	**Fácil**
$	**Económico**
⚖️	**290 calorías**
🍃	**Muy recomendable**

200 g de judías blancas
500 g de acelgas
200 g de carne de ternera para estofar
2 tomates maduros
1 cebolla mediana
1 hoja de laurel
2 cucharadas de aceite
Sal

1 Se ponen en una olla con agua las judías (que se habrán tenido a remojo durante 12 horas) y la hoja de laurel; se sazona y se deja que vaya cociendo.

2 En una cazuela aparte, se ponen a cocer las acelgas, lavadas y troceadas, en agua con sal.

3 Mientras, se hace un sofrito con la cebolla pelada y picada. Cuando esté dorada, se añade el tomate (pelado, sin semillas y picado) y se rehoga todo durante unos 10 minutos. A continuación, se añade la carne en trozos y se deja otros 5 minutos.

4 Cuando las acelgas estén listas, se escurren y se mezclan con el sofrito en la sartén.

5 Finalmente, se mezclan las judías y el sofrito de acelgas en una fuente. Se sirve caliente.

* Este plato resulta muy adecuado para las personas diabéticas que precisan, además, platos que aporten proteínas de calidad y un alto contenido en fibra.

Entreverado de legumbres con salsa andaluza

👤	**4 personas**
🕐	**90 minutos**
🍲	**Fácil**
$	**Económico**
⚖	**240 calorías**
〰	**Muy recomendable**

200 g de judías
200 g de lentejas
2 huevos duros
Sal y pimienta
Salsa andaluza (véase salsas)

1 Se cuecen las judías y las lentejas (que previamente se habrán dejado doce horas en remojo), en ollas aparte, a fuego medio.

2 Una vez cocidas, se escurren, se disponen en una fuente y se deja que se en-

fríen durante un par de horas en el frigorífico.

3 Se hierven los huevos en agua con sal, y se prepara la salsa andaluza.

4 Se mezclan las legumbres con la salsa, y se espolvorea con el huevo duro rallado por encima.

Espinacas trufadas de salmón

👤	**4 personas**
🕐	**30 minutos**
🍲	**Fácil**
$	**Económico**
⚖	**180 calorías**
〰	**Muy recomendable**

1 kg y 1/2 de espinacas
200 g de salmón ahumado
4 cucharadas soperas de aceite de oliva
1 diente de ajo
1 cucharada de vinagre
Sal y pimienta

1 Se lavan bien las espinacas, se trocean y se ponen en una cazuela con agua y sal. Se llevan a ebullición.

2 Se cuecen 15 minutos a fuego vivo; transcurrido este tiempo, se retiran del fuego y se escurren.

3 A continuación, se corta el salmón en tiras finas. En una sartén, se sofríe el diente de ajo partido en dos; una vez dorado, se saltea el salmón un par de minutos.

4 Para terminar, se incorporan las espinacas y, antes de retirarlas del fuego, se aliñan con el vinagre. Se remueve un par de minutos y ya pueden servirse.

* Esta receta es sencilla y equilibrada, y se recomienda especialmente a personas diabéticas de mediana edad.

Menestra de primavera

👤	**4 personas**
🕐	**50 minutos**
🍲	**Fácil**
$	**Económico**
⚖️	**140 calorías**
👨‍🍳	**Muy recomendable**

1/4 kg de patatas
1/2 kg de judías verdes
1/2 kg de zanahorias
400 g de guisantes congelados
1 cebolla grande
1 l de caldo vegetal
2 cucharadas de aceite de oliva
Sal y pimienta

1 Se lavan y se pelan las zanahorias y las patatas, y se trocea todo. Seguidamente, se pica finamente la cebolla y se preparan las judías, quitándoles los hilos laterales.

2 Se pone una cacerola con el aceite al fuego y, cuando esté caliente, se sofríe en ella la cebolla dejando que se dore durante cinco minutos.

3 Se añade el resto de las hortalizas, y se rehogan un par de minutos. Se com-

pleta con el caldo vegetal y se deja que hiervan a fuego lento durante media hora.

4 A continuación, se retira la cazuela del fuego y se deja que se enfríe durante cinco minutos. Seguidamente, se rectifica la sal y se escurre.

* Este plato resulta muy apropiado para una dieta saludable: es rico en fibra, no contiene apenas grasas y aporta carbohidratos complejos.

Platillo de alcachofas

👤	**4 personas**
🕐	**30 minutos**
🍲	**Fácil**
$	**Medio**
⚖️	**270 calorías**
👨‍🍳	**Muy recomendable**

16 alcachofas
2 patatas medianas
4 salchichas tipo Frankfurt
1 diente de ajo
1 limón
2 cucharadas de aceite de oliva
1 vasito de vino blanco
1/2 l de caldo vegetal
Perejil picado
Sal y pimienta

1 Se lavan las alcachofas y se quitan las hojas más externas; se reservan enteras, y se rocían con el jugo de limón.

2 Se pelan las patatas y se cortan en dados.

3 Se pone el aceite en una cazuela y se sofríe el perejil triturado y el diente de ajo. Al cabo de un par de minutos, se añaden las alcachofas y se salpimenta.

4 A continuación, se trocean las salchichas y se sofríen ligeramente.

5 Transcurridos 5 minutos, se incorporan las patatas a la cazuela junto con el vino blanco y el caldo, y se deja que cueza todo a fuego medio otros 15 minutos.

Potaje mixto de lentejas

👤	**4 personas**
🕐	**120 minutos**
🍳	**Fácil**
$	**Económico**
⚖	**290 calorías**
🌿	**Muy recomendable**

1/2 kg de lentejas
50 g de arroz
2 puerros
1 tallo de apio
6 zanahorias medianas
50 g de guisantes
1 tomate maduro, pelado y triturado
1 diente de ajo
Perejil y albahaca
20 g de mantequilla
1 l de caldo vegetal
Sal y pimienta
20 g de parmesano rallado

1 El día anterior, se ponen a remojo las lentejas en agua con una pizca de bicarbonato.

2 Se cuece la legumbre durante hora y media en una olla normal, o durante media hora en la olla a presión.

3 Mientras, se lavan, se pelan y se trocean las hortalizas y las verduras. Se ponen en una cazuela junto con los guisantes, el tomate triturado, la mantequilla y el caldo hasta que cubra.

4 Se deja que cueza durante hora y media, y se añade un poco más de caldo si se consumiera demasiado.

5 Transcurrido este tiempo, se incorpora el arroz y se deja cocer otros 15 minutos.

6 Finalmente, se retiran del fuego las lentejas, y se colocan en una sopera junto con el caldo de arroz y verduras. Se espolvorea con el queso rallado, y se sirve caliente, en sopera.

Puré de garbanzos al vino

👤	**4 personas**
🕐	**20 minutos**
🍳	**Muy fácil**
$	**Económico**
⚖	**300 calorías**
🌿	**Muy recomendable**

400 g de garbanzos ya cocidos
50 g de tocino
1 diente de ajo
50 g de mantequilla
1 vasito de vino
Perejil picado
Sal y pimienta

1 Primeramente, se funde la mantequilla en una sartén a fuego medio para evitar que se queme.

2 Se saltean en ella el ajo y el tocino, y se agrega el vasito de vino.

3 A continuación, se incorporan los garbanzos cocidos.

4 Finalmente, se rectifica la sal, se pasa por el pasapurés y se decora con el perejil picado.

* Este plato se puede servir como guarnición de carnes asadas.

2 A continuación, se pone una cacerola con aceite al fuego y, cuando está caliente, se incorpora la cebolla y se deja que se dore durante 5 minutos.

3 En ese momento, se añaden las judías, se rehogan un par de minutos y se riega con el vino blanco y la leche. Se deja que hierva a fuego lento durante media hora.Transcurrido este tiempo, se retira del fuego y se deja enfriar durante 5 minutos con la cazuela destapada; se rectifica la sal.

4 Finalmente, se pasa por el pasapurés y se añade la mantequilla y los tropezones de pan tostado.

Puré de judías con tropezones

🧍	**4 personas**
🕐	**50 minutos**
👨‍🍳	**Fácil**
$	**Económico**
⚖️	**140 calorías**
〰️	**Muy recomendable**

3/4 kg de judías verdes
1 cebolla mediana
50 g de mantequilla
1/4 l de leche
2 cucharadas de aceite de oliva
1 vaso de vino blanco
2 rebanadas de pan tostado
Sal y pimienta

1 Se lavan las judías, se quitan los hilos laterales y se trocean. Se pica finamente la cebolla.

Puré de manzanas al jerez

🧍	**4 personas**
🕐	**50 minutos**
👨‍🍳	**Fácil**
$	**Económico**
⚖️	**140 calorías**
〰️	**Muy recomendable**

1 kg de manzanas golden
1 cebolla grande
2 cucharadas de aceite de oliva
1 vaso de jerez
1 vaso de leche
50 g de parmesano rallado
Sal y pimienta

1 En primer lugar, se lavan, se pelan y se trocean las manzanas.

2 Se pela la cebolla y se pica finamente.

3 A continuación, se pone una cacerola con el aceite al fuego y, cuando esté caliente, se añade la cebolla. Se deja que se haga durante un par de minutos, y en ese momento se agregan las manzanas, rehogándolas 5 minutos.

4 Finalmente, se riega con el jerez, y se deja que hierva a fuego lento hasta que las manzanas empiezan a formar un puré.

5 En ese momento, se retiran del fuego y se mezclan en una fuente con la leche.

6 Por último, se rectifica la sal y se agrega el parmesano.

2 Se pica la cebolla y se sofríe a fuego lento en una cazuela con el aceite, hasta que se vuelva transparente.

3 En ese momento, se añaden las patatas, el hueso para el caldo y el perejil picado, y se mezcla todo bien (si se trata de un hueso salado, deberá tenerse en cuenta esto a la hora de sazonar).

4 Transcurridos unos minutos, se vierte el caldo hasta cubrir, se aviva el fuego y se deja que cueza unos 20 minutos.

5 Por último, se rectifica la sal y se incorpora el queso rallado y las judías cocidas. Se sirve en sopera.

Sopa hortelana de judías blancas

👤	**4 personas**
🕐	**45 minutos**
👨‍🍳	**Fácil**
$	**Económico**
⚖️	**280 calorías**
🙌	**Muy recomendable**

400 g de patatas
500 g de judías blancas (ya cocidas)
1 cebolla pequeña
1 hueso para el caldo
2 cucharadas de aceite de oliva
1 cucharada de perejil picado
1 l y 1/2 de caldo vegetal
20 g de parmesano rallado
Sal

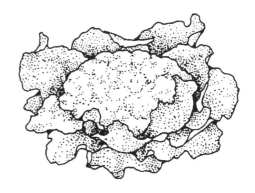

1 Se lavan, se pelan y se trocean las patatas.

Tarta de coliflor

👤	**4 personas**
🕐	**60 minutos**
🍴	**Difícil**
$	**Económico**
⚖	**350 calorías**
〰	**Muy recomendable**

1 coliflor entera
Unas hojas de apio
200 g de zanahorias
100 g de guisantes en conserva
50 g de mantequilla
1 vasito de leche
2 huevos

Para la salsa:
2 cucharadas de aceite de oliva
20 g de mantequilla
1 cucharada de harina
1/4 l de leche
1 vasito de jugo de tomate (sin azúcar)
Sal

1 Se lavan y se trocean las verduras; se cuecen por separado, y se trituran.

2 Se baten las yemas de huevo junto con la leche, y se unta con mantequilla el fondo de una flanera grande.

3 A continuación, se funde el resto de la mantequilla en una sartén y se rehogan las verduras junto con las dos claras batidas.

4 Seguidamente, se retira del fuego, se incorpora el batido de las yemas y la leche y se vierte todo en una flanera.

5 Se pone la flanera al baño maría en el horno a media potencia durante 30 minutos.

6 Mientras, se prepara la salsa: se pone el aceite en una sartén, se agrega la harina y, poco a poco, la leche fría.

7 Se sazona y se deja que cueza durante un cuarto de hora, removiendo continuamente. Se incorpora el jugo de tomate antes de finalizar.

8 Una vez hecho el pastel, se coloca en una fuente plana y se riega por encima con la salsa.

Segundos platos

Carnes, aves y caza

Pescado y marisco

Huevos

Carnes, aves y caza

Las carnes de todo tipo aportan proteínas de una calidad y en una cantidad que el organismo de un ser humano no podría conseguir de otra forma. Efectivamente, existen aminoácidos que el metabolismo de una persona no puede «fabricar», y sólo pueden obtenerse a través de los alimentos. Igualmente, en las etapas de crecimiento, el organismo necesita proteínas en grandes cantidades para formar nuevos tejidos.

Por otra parte, en los diabéticos es frecuente que exista una pérdida de proteínas a través de la orina, lo que puede ocasionar situaciones de carencia. Conviene, por tanto, ingerir carne de buena calidad, esto es, lo más fresca posible y con la menor cantidad de grasa animal.

Avestruz al estilo de Melbourne

👤	**4 personas**
🕐	**20 minutos**
👒	**Fácil**
$	**Medio**
⚖	**350 calorías**
🌿	**Recomendable**

4 filetes de avestruz
4 manzanas
1 cucharada de harina
1 limón
Sal y pimienta
Aceite de oliva

1 Se lavan y se pelan las manzanas, y se cortan en trozos grandes, de uno o dos centímetros de grosor.

2 A continuación, se rocían bien con jugo de limón para evitar que se pongan oscuras.

3 Se pasan por harina y se fríen en una sartén con aceite de oliva caliente.

4 Cuando estén doradas, se retiran del fuego y se reservan.

5 Seguidamente, se salpimenta la carne y se asa a fuego vivo con unas gotitas de aceite.

6 Por último, se sirve acompañada de los trozos de manzana.

«Canelones» de jamón y manzanas golden

👤	**4 personas**
🕐	**30 minutos**
👒	**Muy fácil**
$	**Medio**
⚖	**370 calorías**
🌿	**Recomendable**

16 lonchas de jamón serrano
4 cucharadas de harina
1 kg de manzanas golden
2 cucharadas de aceite de oliva

1 Se pelan y se trocean las manzanas.

2 Se rellenan las lonchas de jamón (que se utilizarán en esta receta como si fueran placas de canelones) con la fruta troceada. Se cierran los canutillos con palillos.

3 A continuación, se untan con el aceite y se pasan por la harina.

4 Finalmente, se fríen en una sartén hasta que se vean tostados por fuera.

Chuleta de cerdo a la salsa de aguacate

👤	**4 personas**
🕐	**30 minutos**
🎩	**Fácil**
$	**Medio**
⚖	**390 calorías**
✍	**Recomendable**

4 chuletas de cerdo
2 cebollas medianas
1 diente de ajo
1 cucharada de harina
6 aguacates
1 vasito de crema de leche
1 hoja de laurel
1/2 limón
2 cucharadas de aceite de oliva
Sal y pimienta

1 Se pelan y se trocean los aguacates, y se rocían con el jugo de limón para evitar que se oxiden. Se cortan las cebollas.

2 A continuación, se salpimenta la carne.

3 En una sartén a fuego medio con el aceite de oliva, se sofríen las chuletas un par de minutos hasta que están en su punto.

4 Se retira la carne y, en la misma sartén, se sofríe la cebolla y el ajo.

5 Una vez que la cebolla está casi hecha, se incorporan los aguacates troceados y la hoja de laurel. Transcurridos 10 minutos, se añade la harina y la crema de leche, y se remueve para ligar bien la salsa.

6 Se dispone la carne en una fuente y se riega con la salsa de aguacates.

Conejo con menestra de pimientos

👤	**4 personas**
🕐	**60 minutos**
🎩	**Fácil**
$	**Medio**
⚖	**390 calorías**
✍	**Recomendable**

1 conejo de 1 kg y 1/4, troceado
4 tomates medianos
2 pimientos verdes
4 pimientos rojos
2 cebollas medianas
1 cucharada de pan rallado
1 pizca de tomillo
2 dientes de ajo
1 vasito de vino blanco
4 cucharadas de aceite de oliva
Sal y pimienta

1 Se lavan las hortalizas (eliminando las semillas de los tomates y de los pimientos), y se cortan en dados.

2 Se trocea el pollo y se salpimenta.

3 En una cazuela que se pueda introducir en el horno se disponen las cebollas picadas y los trozos de conejo salpimentados, el tomate y el pimiento verde.

4 Se agrega el tomillo, el pan rallado, el aceite y los dientes de ajo, y se remueve.

5 Finalmente, se introduce la cazuela en el horno previamente calentado a 200°, y se deja unos 15 minutos; seguidamente, se incorpora el vino blanco y se deja que se haga durante otros 20 minutos. Se sirve bien caliente.

ROSBIF

1 kg de lomo alto, 4 cucharadas soperas de aceite, romero, sal, pimienta
Una vez atada la carne, la salpimentaremos, la embadurnaremos con aceite y espolvorearemos un poco de romero. Llevaremos la pieza al horno en una rejilla, y pondremos un recipiente debajo para que recoja el jugo de la carne; dejaremos que se haga 20 minutos por cada lado a 160 °C. Transcurrido este tiempo, la dejaremos reposar 12 minutos aproximadamente con el horno apagado. Finalmente la sacaremos del horno y, una vez fría, la cortaremos en rodajas muy finas y la serviremos acompañada del jugo que ha soltado.

SALMÓN A LA PARRILLA

4 filetes de salmón de 150 g aproximadamente, 2 cucharaditas de margarina, 2 cucharadas de zumo de limón, aceite
Fundiremos la margarina en una cacerola y añadiremos el zumo de limón. Untaremos una parrilla con un poco de aceite, la llevaremos al fuego y colocaremos las piezas de salmón, bien espaciadas. Con la mitad de la mezcla de limón y margarina pincelaremos el pescado, que asaremos durante 5 minutos. Les daremos la vuelta, pincelaremos de nuevo con el resto de la margarina y limón, y dejaremos que se haga durante otros 5 o 6 minutos, o hasta que el salmón esté en su punto. Serviremos sobre platos calientes, con una guarnición de espárragos verdes, arroz hervido y un poco de zanahoria y pimiento rojo.

ROLLITOS DE PESCADO

4 filetes de lenguado de 150 g, zumo de 1 limón, 1 cebolla, 2 tomates rojos, 2 pimientos verdes, 1 vasito de arroz, 4 cucharadas de tomate frito, aceite de oliva, sal, pimienta blanca

Pelaremos la cebolla y la picaremos junto con los pimientos y los tomates en trozos pequeños. Aparte, coceremos el arroz en agua con sal y unas gotas de aceite; una vez cocido, lo retiraremos del fuego, lo escurriremos bien y lo mezclaremos con el tomate frito. Salpimentaremos los filetes de lenguado, pondremos una cucharada de arroz en el centro de cada filete y lo enrollaremos. Pondremos el resto de arroz en la base de una cazuela de barro, formando un lecho sobre el que colocaremos los rollitos de lenguado. Repartiremos sobre los rollitos la picada preparada al principio, rociaremos con zumo de limón y llevaremos al horno a temperatura moderada durante 35 minutos.

OSTRAS A LA GENOVESA

24 ostras, 1/2 kg de tomates, aceite aromatizado con albahaca, sal, pimienta
Una vez abiertas las ostras, separaremos la carne con un cuchillo y la dejaremos en la misma concha. Pelaremos los tomates, les quitaremos las semillas y los trincharemos muy finos. Con el aceite, la sal y la pimienta aliñaremos el tomate y lo distribuiremos sobre las ostras. Pueden presentarse sobre un lecho de láminas de calabacín y ensalada rizada.

Entremés de ternera al cava

👤	**4 personas**
🕐	**20 minutos**
👨‍🍳	**Fácil**
$	**Medio**
⚖️	**340 calorías**
〰️	**Muy recomendable**

200 g de carne de ternera
400 g de patatas
2 salchichas tipo Frankfurt
50 g de mantequilla
1 cucharadita de perejil picado
1 pizca de salvia
100 g de ciruelas pasas
1 vasito de cerveza negra
Sal y pimienta

1 Unas horas antes, se remojan las ciruelas en un vasito de cerveza negra.

2 Se lavan y se pelan las patatas; se ponen a cocer.

3 Mientras, se corta el magro en daditos de unos 2 centímetros de grosor.

4 Se funde la mantequilla en una sartén, y se rehoga la carne; se salpimenta y se perfuma con las hierbas aromáticas.

5 Seguidamente, se retiran del fuego y se escurren las patatas. Se pasan por la sartén para dorarlas un poco, y en ese momento se añaden las ciruelas y las salchichas troceadas.

6 Para finalizar, se riega con la cerveza sobrante y, en un par de minutos, ya puede servirse.

Espalda de cabrito con plátanos al jerez

👤	**4 personas**
🕐	**40 minutos**
👨‍🍳	**Fácil**
$	**Caro**
⚖️	**350 calorías**
〰️	**Muy recomendable**

1 espalda de cabrito
2 cucharadas de aceite de oliva
6 plátanos medianos
2 cucharadas de harina
50 g de mantequilla
4 cucharadas de aceite de oliva
1 vasito de jerez
1 limón
1 pizca de romero y salvia
Sal y pimienta

1 Se coloca una sartén en el fuego y se funde la mantequilla. Seguidamente, se pelan los plátanos, se trituran con un tenedor y se sofríen en ella.

2 A los 5 minutos se incorpora la harina y el jerez, y se deja a fuego lento otros 5 minutos.

3 A continuación, se prepara la espalda al horno: se salpimenta, se rocía con unas gotas de limón y se perfuma con las hierbas. Se introduce en el horno a 200 °C durante 20 minutos, y se riega con el aceite de oliva y el vasito de vino.

4 Para terminar, se dispone la espalda en una fuente, y se riega con la salsa de plátanos.

Espalda de lechal con salsa de aceitunas negras

👤	**4 personas**
🕐	**90 minutos**
👨‍🍳	**Difícil**
$	**Medio**
⚖️	**370 calorías**
🖐️	**Recomendable**

1 espalda de cordero
100 g de jamón serrano
4 cucharadas de aceite de oliva
1 diente de ajo
8 cebollitas
Sal y pimienta
1 pizca de romero
1/2 limón

Para la salsa:
200 g de aceitunas negras deshuesadas
200 g de hinojo
50 g de cebolla
200 g de champiñones
50 g de mantequilla

1 Se cortan las lonchas de jamón en tiras finas, y se mecha con ellas la espalda de cordero.

2 En una cazuela con el aceite se colocan las cebollitas, el ajo, el romero y la espalda, y se deja que se haga todo a fuego bajo durante una hora. Mientras, se lavan y se trocean los champiñones.

3 A continuación, se preparan las aceitunas para la salsa: se pican finamente en un mortero con unas gotas de limón y el hinojo.

4 Seguidamente, se coloca la picada en una sartén a fuego medio con la mantequi-lla, y se rehoga también la cebolla picada y los champiñones durante 15 minutos.

5 Cuando la carne esté lista, se coloca en una fuente y se riega con la salsa de aceitunas.

Gratinado de espárragos trigueros y chuletón de ternera

👤	**4 personas**
🕐	**60 minutos**
👨‍🍳	**Fácil**
$	**Caro**
⚖️	**390 calorías**
🖐️	**Muy recomendable**

4 chuletas grandes de ternera
800 g de espárragos trigueros
100 g de pasas
1 cebolla pequeña
50 g de queso rallado
4 cucharadas de aceite
1 diente de ajo
Sal y pimienta

1 En primer lugar, se lavan y se cortan los espárragos y la cebolla.

2 Se sofríe la cebolla en una cazuela con aceite de oliva.

3 Cuando esté dorada, se incorporan los espárragos y las pasas. Se rehoga todo durante 10 minutos.

4 Se sofríen las chuletas en una sartén con unas gotitas de aceite y el ajo cortado en láminas.

5 A continuación, se colocan en una fuente de horno, se vierte por encima la salsa y los espárragos y se cubre con queso rallado.

6 Se gratina 10 minutos a 180°.

Guisado de jabalí al vino tinto

👤	**4 personas**
🕐	**140 minutos**
🎩	**Difícil**
$	**Caro**
⚖	**440 calorías**
✎	**Recomendable**

1 kg de carne de jabalí para estofar
2 cebollas medianas
6 cucharadas de aceite de oliva
1/4 l de vino tinto
2 cucharadas de harina
8 cebollitas pequeñas
Nuez moscada
Sal y pimienta

1 Se trocea la carne y se salpimenta al gusto. Seguidamente, se pone el aceite a calentar en una cacerola a fuego medio.

2 Se pela y se pica la cebolla, y se incorpora a la cacerola; se rehoga unos 10 minutos, hasta que empieza a dorarse.

3 Se retira y se reserva.

4 Se incorpora la carne cortada en dados al sofrito, y cuando esté dorada se espolvorea con harina.

5 En ese momento, se incorpora el vino y la nuez moscada, y se rectifica la sal y la pimienta; se deja que cueza todo, con la cazuela tapada, durante un par de horas.

6 Mientras tanto, se pelan y se disponen las cebollitas en un cazo con agua que las cubra y una cucharada de aceite, y se cuecen unos 15-20 minutos. Cuando la carne ya esté lista, se incorporan las cebollitas y se coloca todo en una fuente para servir.

Jamón con picadillo de espárragos

👤	**4 personas**
🕐	**30 minutos**
🎩	**Media**
$	**Medio**
⚖	**350 calorías**
✎	**Recomendable**

4 lonchas gruesas de jamón cocido
600 g de espárragos trigueros finos
50 g de mantequilla
1 vaso de vino blanco
Sal
Salsa besamel (véase salsas)

1 Primeramente, se limpian y se trocean los espárragos. A continuación se pone un cazo al fuego y en él se funde la mantequilla.

2 Se rehogan los espárragos en el cazo junto con el vino blanco. Se deja cocer a fuego lento unos 5 minutos.

3 Mientras, se prepara la besamel.

4 Una vez hechos los espárragos, se retiran del fuego, se escurren y se pican. Se rellenan las lonchas de jamón y se cierran con un palillo.

5 Se presentan cubiertas con la besamel.

Jarrete de ternera con crema de peras

👤	**4 personas**
🕐	**90 minutos**
👒	**Fácil**
$	**Medio**
⚖	**400 calorías**
🌿	**Recomendable**

1 pieza de jarrete de 800 g
2 cebollas grandes
400 g de peras
1 hoja de laurel
2 cucharadas soperas de harina
4 cucharadas de aceite de oliva
1 vaso de crema de leche
1 vasito de vino rancio
1 vaso de caldo vegetal
Sal

1 Se lavan, se pelan y se trocean las peras. Se rehogan en una cacerola con unas gotas de agua durante 7-10 minutos.

2 Se salpimenta la carne.

3 Se pica finamente la cebolla. Se pone una cacerola con el aceite al fuego y se sofríe; a continuación, se añade la harina, y se remueve un par de minutos.

4 Se acaba de ligar con el vino.

5 Se incorporan la hoja de laurel, la carne y un poco de caldo vegetal con el que se cubre todo. Se deja cocer a fuego lento, con la cazuela tapada, durante 75 minutos.

6 Mientras, se hace un batido con las peras y la crema de leche, y se calienta en una sartén a fuego bajo.

7 Finalmente, se retira la carne del fuego, se corta en lonchas y se riega con la crema caliente de peras.

Libritos de lomo con relleno de ajos tiernos

👤	**4 personas**
🕐	**50 minutos**
👒	**Fácil**
$	**Medio**
⚖	**360 calorías**
🌿	**Recomendable**

800 g de libritos de lomo de cerdo
1 docena de ajos tiernos
4 lonchas de queso
4 cucharadas de aceite de oliva
1 vasito de vino blanco
Hierbas aromáticas
Sal y pimienta

1 Se lavan bien los ajos tiernos y se cortan a la medida de la carne.

2 Se salpimentan los libritos, y se rellenan con los ajos tiernos y con una loncha de queso. Se cierran con un palillo.

3 A continuación, se espolvorean con las hierbas aromáticas.

4 Se caliente en una sartén el aceite y se fríen los libritos por los dos lados. Se riegan con el vaso de vino blanco, se deja reducir unos minutos y se sirve.

Lomo con relleno de setas

👤	**4 personas**
🕐	**80 minutos**
🍳	**Fácil**
$	**Económico**
⚖️	**350 calorías**
🖌️	**Muy recomendable**

800 g de cinta de lomo de cerdo
1 coliflor de 1 kg aproximadamente
200 g de níscalos
4 cucharadas de aceite de oliva
1 vaso de vino blanco
2 vasos de caldo vegetal
1 cucharada de perejil picado
Sal y pimienta

1 La cinta de lomo se corta de manera que luego se pueda enrollar como un brazo de gitano. Se salpimenta.

2 Se lava y se trocea la coliflor. A continuación, se hierve en agua con sal durante 20 minutos.

3 Mientras, se lavan y se trocean las setas; se rehogan en una cacerola con el aceite de oliva, y se reservan.

4 Una vez cocida la coliflor, se retira del fuego y se escurre bien.

5 Seguidamente, se extiende sobre la cinta de lomo junto con los trocitos de níscalos. Se enrolla la cinta, se ata con un cordel y se rehoga en la cacerola a fuego lento durante 40 minutos junto con el caldo vegetal. A media cocción se riega con el vino blanco.

6 A la hora de servir este plato, se corta en rodajas la cinta de lomo y se vierte la salsa por encima.

Magret de pavo con salsa de naranja y gírgolas

👤	**4 personas**
🕐	**30 minutos**
🍳	**Fácil**
$	**Medio**
⚖️	**370 calorías**
🖌️	**Muy recomendable**

1 magret de pavo de unos 400 g
300 g de gírgolas u otras setas parecidas
50 g de margarina vegetal
8 naranjas
100 g de pasas
2 cucharadas de harina
3 cucharadas de aceite de oliva
1 limón

1 Se unta una parrilla con aceite de oliva y se pone a fuego fuerte.

2 Se dispone en ella el magret y se hace 5 minutos por cada lado. Se salpimenta.

3 Mientras, se pelan las naranjas, y se eliminan también las fibras blancas que entrelazan los gajos. Se trocean en un plato para aprovechar después todo su jugo.

4 Se lavan las setas, se trocean y se riegan con el jugo del limón. Se salpimentan y se hacen a la parrilla con unas gotas de aceite de oliva.

5 En una sartén a fuego medio se derrite la mantequilla y se rehoga la naranja con todo su jugo. Cuando los trozos de naranja empiezan a deshacerse, se incorporan las pasas y la harina, y se remueve bien hasta que la salsa adquiere una consistencia gelatinosa.

6 Se sirve la carne en una fuente, regada con la salsa y con las setas como guarnición.

Manos de cerdo con garbanzos

👤	**4 personas**
🕐	**40 minutos**
👒	**Fácil**
$	**Caro**
⚖	**380 calorías**
〰	**Muy recomendable**

2 manos de cerdo partidas por la mitad
  y cocidas
300 g de garbanzos cocidos
2 huevos
1 cebolla mediana
2 tomates maduros
2 dientes de ajo
50 g de almendras tostadas
Canela en polvo
4 cucharadas de aceite de oliva
1 vasito de vino rosado
Perejil picado
Sal y pimienta

1 Se pica la cebolla y se sofríe.

2 En ese momento se incorpora el tomate triturado, y se deja a fuego lento durante 10 minutos. Se riega con el vino.

3 A continuación, se añade un diente de ajo, los garbanzos y el perejil picado, se salpimenta y se aromatiza con canela.

4 Se ponen las manos de cerdo en la cacerola, se cubren con agua o caldo y se cuecen lentamente 10 minutos más.

5 Se hierven los huevos en agua con sal.

6 Se prepara una picada con el otro diente de ajo, las almendras y sal.

7 Se incorpora a la cazuela y, transcurridos 5 minutos de cocción a fuego bajo, ya puede servirse el plato adornado con los huevos duros cortados por la mitad.

Muslo de pato al estilo cantonés

👤	**4 personas**
🕐	**40 minutos**
👨‍🍳	**Fácil**
$	**Medio**
⚖️	**350 calorías**
🖐️	**Muy recomendable**

4 muslos de pato (deshuesados)
6 zanahorias
4 cebollas medianas
200 g de brotes de soja
50 g de mantequilla
Salvia
Romero
Sal y pimienta
Salsa de soja

1 Se corta la carne en lonchas finas, y se salpimenta ligeramente.

2 Se coloca una sartén al fuego con la mantequilla, y se saltea la carne en ella junto con las hierbas aromáticas. Al terminar, se retira y se reserva.

3 A continuación, se pelan las zanahorias y las cebollas, y se trocean. Se incorpora todo a la sartén.

4 Seguidamente, se lavan los brotes de soja y se rehogan también en la sartén.

5 Cuando las verduras ya están cocidas, se retiran y se mezclan en una fuente con la carne.

6 Antes de servir, se aliña con la salsa de soja.

Ossobucco con verduras

👤	**4 personas**
🕐	**70 minutos**
👨‍🍳	**Muy fácil**
$	**Medio**
⚖️	**340 calorías**
🖐️	**Recomendable**

4 piezas de ossobucco
1/2 kg de zanahorias
400 g de patatas
2 cucharadas de harina
1 vasito de nata líquida
1 diente de ajo
Sal y pimienta
Aceite de oliva

1 Se pelan las patatas y las zanahorias, y se hierven en abundante agua con sal. Se salpimenta la carne.

2 Una vez cocidas las hortalizas, se retiran del fuego y se escurren bien.

3 A continuación, se colocan en el pasapurés con la nata líquida y se bate todo.

4 Seguidamente, se enharinan los trozos de carne y se doran en una cacerola con el aceite bien caliente y el diente de ajo. Se baja el fuego cuando estén dorados, y se prosigue la cocción durante 40 minutos.

5 Se saca la carne de la cacerola, se coloca en una fuente caliente y, con la ayuda de un tenedor de trinchar y de un cuchillo que corte bien, se retira el hueso central; se rellena el hueco que deja el hueso con el puré.

6 Finalmente, se sirve caliente. Este plato resulta ideal para la temporada de otoño e invierno.

Paletilla de cordero con col

👤	**4 personas**
🕐	**80 minutos**
🍳	**Fácil**
$	**Económico**
⚖	**370 calorías**
🌿	**Muy recomendable**

1 paletilla de cordero deshuesada
600 g de col
50 g de pasas de Corinto
50 g de crema de leche
20 g de mantequilla
1 pizca de hierbas aromáticas
8 cucharadas de aceite de oliva
Sal y pimienta

1 Se lavan, se trocean y se cuecen las hojas de col en agua con sal. Una vez cocida, se escurre bien y se reserva.

2 En una sartén, se rehogan las pasas con un poco de mantequilla.

3 Se sazona la carne, y se saltea durante un par de minutos con las pasas y la crema de leche.

4 A continuación, se rellena la paletilla con la col trinchada, se coloca en una cacerola a fuego medio con el aceite de oliva y se deja que se haga lentamente durante 40 minutos.

5 Finalmente, se sirve la carne regada con la salsa de pasas.

Pechuga de ave con verduritas

👤	**4 personas**
🕐	**50 minutos**
🍳	**Fácil**
$	**Económico**
⚖	**320 calorías**
🌿	**Muy recomendable**

4 pechugas
4 patatas medianas
4 zanahorias
2 cebollas medianas
2 cucharadas de aceite de oliva
1/2 l de caldo vegetal
1 vasito de vino blanco
Sal y pimienta
Salsa besamel (véase salsas)

1 Se lavan, se pelan y se trocean las hortalizas. La cebolla se pica finamente. Después, se salpimenta la pechuga.

2 Se pone el aceite en una cacerola y se doran en él las pechugas por ambos lados.

3 Se reservan y, en el mismo aceite, se sofríe la cebolla hasta que se vuelve transparente.

4 Se incorporan las hortalizas cortadas en dados y se rehogan 5 minutos con el vino.

5 Transcurrido ese tiempo, se incorporan las pechugas y el caldo vegetal necesario para cubrirlas. Se rectifica la sal y se deja que cueza durante 20 minutos.

6 Mientras, se prepara la besamel. Cuando la carne esté tierna, se coloca en una fuente con las verduritas y la besamel. Se enfría en la nevera un par de horas.

Perdices con lechuga

👤	**4 personas**
🕐	**40 minutos**
👒	**Fácil**
$	**Caro**
⚖	**380 calorías**
〰	**Muy recomendable**

4 perdices
1 lechuga grande
2 zanahorias
2 cebollas medianas
400 g de tomates maduros
2 dientes de ajo
200 g de beicon
4 cucharadas de aceite de oliva
1 vasito de vino tinto
Sal y pimienta

1 En primer lugar, se lavan las hojas de la lechuga procurando que no se rompan. Se cuecen en una cazuela con agua y sal durante 20 minutos.

2 Una vez cocidas, se escurren, se reservan ocho hojas grandes y el resto se pica.

3 Mientras, se cortan en juliana la cebolla y la zanahoria, y se sofríen en una cazuela junto con el ajo. Cuando han transcurrido un par de minutos, se incorporan las perdices previamente salpimentadas.

4 A continuación, se rellenan las hojas de lechuga que habíamos reservado enteras con el resto de hojas picadas, y se envuelven como si fueran pequeños paquetes.

5 Se añade el beicon, el vino y el tomate triturado a la cazuela de las perdices. Se deja que cueza a fuego lento durante unos 20 minutos, y si es necesario se agrega un poco de agua a media cocción.

6 Una vez hechas las perdices, se retiran, al igual que los trozos de panceta, y se pasa el resto por el pasapurés.

7 Se vuelven a colocar las perdices en la cacerola, acompañadas ahora de los paquetes de verdura, la panceta y la salsa. Se deja cocer a fuego suave 5 minutos, y ya puede servirse.

Picantones con cebollitas y olivas

👤	**4 personas**
🕐	**50 minutos**
🍲	**Fácil**
$	**Medio**
⚖	**360 calorías**
🍶	**Recomendable**

4 picantones
12 cebollitas
1 vasito de crema de leche
200 g de aceitunas negras deshuesadas
4 cucharadas de aceite de oliva
1 vasito de vino blanco
1 vaso de caldo
1 cucharada de maicena
1 hoja de laurel
Sal y pimienta

1 Se limpian las cebollitas.

2 A continuación, se pone el aceite al fuego en una cacerola y, cuando esté bien caliente, se doran en él las cebollitas a fuego no muy vivo.

3 Seguidamente, se limpian los picantones, se dejan enteros y se doran también en el aceite caliente.

4 Se pican las aceitunas en un mortero.

5 Cuando las cebollas y el pollo están dorados, se riegan con el vino, se incorpora la picada de aceitunas y la hoja de laurel, y se deja que cueza durante 20 minutos a fuego bajo.

6 Mientras, se disuelve la maicena en un cazo con el caldo vegetal y la crema de leche, removiendo sin cesar, y se lleva a ebullición.

7 Se sirven los picantones en una fuente con las cebollitas dispuestas a su alrededor y regado todo con la salsa.

Pie de cerdo con salsa de granada

👤	**4 personas**
🕐	**40 minutos**
🍲	**Fácil**
$	**Económico**
⚖	**320 calorías**
🍶	**Recomendable**

2 pies de cerdo partidos por la mitad
 (4 mitades)
4 granadas
2 cucharadas de harina
1 limón
50 g de mantequilla
100 g de jamón serrano picado
Ajos
Salvia
Romero
Sal y pimienta

1 Se pelan las granadas y se eliminan con mucho cuidado las fibras que unen los granos, ya que si no dan un sabor amargo al plato.

2 A continuación, se exprime el limón y se riegan los granos con su jugo.

3 En una sartén, se funde la mantequilla y se saltea en ella el jamón. Luego se rehogan las granadas con el jugo de limón y la harina.

4 En una cazuela tapada, con un poco de aceite de oliva, se cocinan los pies de cerdo con la salvia, el romero, la sal y la pimienta durante 20 minutos.

5 Antes de finalizar la cocción, se añade la fruta y se deja que cueza todo junto 5 minutos más.

6 Transcurrido este tiempo, se coloca en una fuente y se sirve caliente.

Pollo con langostinos y verduritas

👤	**4 personas**
🕐	**50 minutos**
🍳	**Fácil**
$	**Caro**
⚖	**380 calorías**
🌿	**Recomendable**

1 pollo de 1 kg y 1/2
200 g de colas de langostinos peladas
2 tomates medianos
2 pimientos verdes
2 cebollas medianas
1 cucharada de pan rallado
2 dientes de ajo
1 hoja de laurel
1 ramita de tomillo
1 vasito de vino blanco
1 vaso de caldo vegetal
4 cucharadas de aceite de oliva
Sal y pimienta

1 En primer lugar, se trocea el pollo.

2 Seguidamente, se disponen en una cazuela de barro las cebollas picadas finas, los trozos de pollo, el tomate troceado y el pimiento cortado en rodajas.

3 Se espolvorea el pan rallado y se añaden las hierbas aromáticas, los dientes de ajo, el aceite y las colas de langostinos.

4 Se coloca la cazuela en el horno a 180 °C. Al cuarto de hora, se incorpora el vino y el caldo vegetal, y se deja que cueza otros 15-20 minutos. Se sirve.

Revoltillo de filetes de pavo

👤	**4 personas**
🕐	**50 minutos**
🍳	**Fácil**
$	**Medio**
⚖	**350 calorías**
🌿	**Muy recomendable**

800 g de pavo
2 cebollas medianas
200 g tomates pelados
200 g de judías verdes
1 vasito de aceite de oliva
Nuez moscada
Sal y pimienta
1 vaso de caldo vegetal
2 vasitos de vino rancio

1 Se pica y se dora la cebolla.

2 En ese momento, se incorporan los tomates pelados y sin semillas, y las judías verdes limpias y troceadas.

3 Se corta la carne en lonchas finas, se sazona y se rehoga con el resto de verduras. A los cinco minutos, se añade el caldo.

4 Se deja que se haga todo a fuego medio unos 20 minutos. Antes de que finalice la cocción, se rectifica la sal.

Rollitos de pavo con espinacas

👤	**4 personas**
🕐	**90 minutos**
🍳	**Difícil**
$	**Medio**
⚖️	**400 calorías**
🦐	**Muy recomendable**

500 g de pechuga de pavo
50 g de jamón serrano
1 diente de ajo
300 g de espinacas (ya cocidas)
1 vasito de vino tinto
1 cebolla mediana con un clavo (especia)
1 zanahoria
1 tallo de apio
1 cebolla cortada
2 cucharadas de salsa de tomate
2 vasos de caldo vegetal
40 g de mantequilla
Sal y pimienta

1 Se lava, se pela y se corta la zanahoria en tiras.

2 Se corta la pechuga por la mitad pero sin dividirla del todo (es decir, haciendo un «librito»).

3 Se cuece la zanahoria durante 10 minutos en agua con sal.

4 Dentro del librito se colocan las espinacas ya hervidas y escurridas, con las tiras de zanahoria y el jamón.

5 A continuación, se cierra el rollito con un cordel o con unos palillos, con mucho cuidado para que no se deshaga.

6 Se coloca en una cazuela a fuego lento, se riega con el vino y, cuando haya reducido, se añade la sal, la pimienta y las verduras troceadas.

7 Transcurridos 10 minutos, se agrega la salsa de tomate diluida en el caldo vegetal.

8 Seguidamente, se tapa la cazuela y se deja que cueza muy lentamente durante una hora.

9 Por último, se corta la carne en lonchas para servir.

Pescado y marisco

Los pescados y mariscos, al igual que la carne, aportan al organismo proteínas de una excelente calidad. Estas proteínas, indispensables para que nuestro organismo forme nuevos tejidos, son importantes sobre todo en las etapas de crecimiento. No obstante, el valor proteínico del pescado es, en general, inferior al de la carne, pero no cabe duda que incrementa de manera notable la riqueza de nuestra mesa.

Bacalao con espinacas

👤	4 personas
🕐	50 minutos
👨‍🍳	Fácil
$	Medio
⚖️	310 calorías
🌿	Recomendable

800 g de bacalao
1 kg de espinacas
100 g de aceitunas sevillanas
1/4 l de aceite de oliva
Ajo y perejil triturados
Sal y pimienta

1 Primeramente, se colocan los trozos de bacalao, lavado y sin espinas, en una cazuela con el aceite, y se condimenta con el ajo y el perejil.

2 Se deja que se vaya haciendo a fuego lento unos 20 minutos, con la cazuela tapada.

3 En una olla aparte, se hierven las espinacas durante 15 minutos con agua y sal. Cuando estén cocidas, se escurren bien y se disponen en la cazuela alrededor del bacalao.

4 Finalmente, se añaden las aceitunas deshuesadas, se remueve bien el contenido de la cazuela y se deja que cueza a fuego lento durante otros 10 minutos.

Bacalao al horno con verduritas

👤	4 personas
🕐	40 minutos
👨‍🍳	Fácil
$	Medio
⚖️	370 calorías
🌿	Recomendable

1/2 kg de lomo de bacalao desalado
1 kg de patatas medianas
12 coles de bruselas
1 vaso de nata líquida
25 g de mantequilla
50 g de parmesano
Sal y pimienta blanca molida

1 Para empezar, se lavan las coles y las patatas y se cuecen durante 20 minutos (las patatas sin pelar) en agua con sal.

2 Mientras, se da un hervor de 5 minutos al bacalao (que previamente habremos desalado) en una cacerola con agua. Transcurrido este tiempo, se retira del fuego y se corta en filetes finos.

3 Se enciende el horno a 180° para que vaya calentándose.

4 A continuación, se cortan las coles y las patatas en rodajas. Con la mantequilla se unta la fuente de hornear y se van colocando, en capas, el bacalao, las verduras y un poco de nata líquida.

5 Por último, se cubre con el resto de la nata líquida y se espolvorea con el queso rallado. Se mantiene en el horno a 180° durante 20 minutos.

Brandada de bacalao con pasas y setas

👤	4 personas
🕐	30 minutos
👨‍🍳	Fácil
$	Medio
⚖	370 calorías
🖐	Recomendable

400 g de bacalao desmigado
100 g de pasas de Corinto
300 g de setas (níscalos, por ejemplo)
1 cucharada de mantequilla
2 rebanadas de pan
Sal
Salsa besamel espesa

1 Una vez desalado el bacalao, se desmiga y se pone al fuego en un cazo con agua. Cuando rompe a hervir, se retira y se escurre bien.

2 Se lavan las setas y se cortan en trozos pequeños.

3 En una sartén, se funde la mantequilla y en ella se rehogan las pasas y la picada de setas.

4 Seguidamente, se hace la besamel, un poco más espesa de lo habitual. Se mezcla bien con el bacalao picado.

5 Se forman cuadraditos con las rebanadas de pan, se fríen y se sirve la brandada acompañada de las setas y las pasas y adornada con el pan frito.

Calamares rellenos con arroz

👤	4 personas
🕐	30 minutos
👨‍🍳	Fácil
$	Económico
⚖	300 calorías
🖐	Muy recomendable

1 kg de calamares
300 g de arroz
100 g de guisantes en conserva
100 g de beicon
1 cebolla pequeña
1 diente de ajo
1/2 l de aceite de oliva
4 cucharadas de harina
Sal

1 Se cuece el arroz y los guisantes.

2 Mientras, se pica la cebolla y se sofríe en un poco de aceite de oliva con el diente de ajo. Cuando esté transparente, se añade el beicon cortado en cuadraditos.

3 Una vez preparado el arroz con los guisantes, se escurre. Se mezcla con el sofrito.

4 Se limpian los calamares, y se les quita la piel y las bolsas de tinta.

5 Se rellenan en sus 3/4 partes, y se cierran con la ayuda de un palillo.

6 Para terminar, se pasan por la harina y se sofríen en una sartén con abundante aceite. Este plato resulta exquisito, y combina el alto valor nutritivo del arroz con la fácil digestión de los calamares.

Calamares rellenos con puré de olivas negras

👤	**4 personas**
🕐	**30 minutos**
👨‍🍳	**Fácil**
$	**Medio**
⚖️	**320 calorías**
🔪	**Recomendable**

8 calamares
200 g puré de patatas
200 g de olivas negras deshuesadas
2 cebollas medianas
1 diente de ajo
1 ramita de perejil
2 cucharadas de aceite
Sal

1 Se limpian bien los calamares.

2 En una cazuela de barro, se pone el aceite, las cebollas peladas y picadas y el diente de ajo. Se sofríe 5 minutos.

3 Cuando la cebolla pierda color, se retira del fuego. Se quita la mayor parte del aceite y se reserva.

4 Se añaden los calamares enteros y se dejan cocer durante 15 minutos. Seguidamente, se rectifica la sal.

5 Mientras, se prepara un puré de patatas. Cuando esté listo, se pican con un mortero las olivas y, seguidamente, se mezclan con el sofrito de cebolla y el puré.

6 Una vez hechos los calamares, se procede a su relleno con el preparado anterior, y se riegan por encima con el aceite del sofrito.

Cazón a la piña

👤	**4 personas**
🕐	**40 minutos**
👨‍🍳	**Fácil**
$	**Caro**
⚖️	**330 calorías**
🔪	**Recomendable**

800 g de cazón
1 cebolla
1 piña natural de 1 kg
2 cucharadas de aceite de oliva
2 tomates medianos
Perejil picado
1 vasito de vino blanco
1 pimiento del piquillo
Sal y pimienta

1 En primer lugar, se pela y se pica finamente la cebolla. Se tritura el tomate.

2 Se rehoga la cebolla en el aceite durante 10 minutos. Cuando esté dorada, se añade el pimiento troceado y el vino.

3 Una vez que se ha reducido el vino, se incorpora el tomate. Se deja 10 minutos más antes de añadir los filetes de cazón.

4 Se prolonga la cocción durante unos minutos y se salpimenta.

5 Mientras, se pela y se corta la piña en rodajas.

6 Antes de terminar la cocción se incorporan las rodajas de piña con unas cucharadas de agua.

7 En una fuente se coloca el cazón con la piña y se espolvorea con perejil picado.

Congrio en salsa verde

👤	**4 personas**
🕐	**30 minutos**
🍲	**Fácil**
$	**Medio**
⚖	**350 calorías**
✎	**Recomendable**

4 rodajas gruesas de congrio
400 g de patatas
4 cucharadas de aceite
1 cucharada de harina
1 cebolla mediana
1 diente de ajo
Unas ramitas de perejil
1 cucharada de perejil picado
1 vaso de agua o fumet de pescado
Sal y pimienta

1 Se lavan, se pelan y se trocean las patatas. Seguidamente, se cuecen.

2 En una sartén, se calienta el aceite y se sofríe la cebolla picada.

3 Se pica en un mortero el ajo con el perejil y un poco de sal.

4 Una vez que la cebolla ya está dorada, se añade la harina, se remueve bien y, a continuación, se agrega el vaso de agua y la picada anterior.

5 Cuando las patatas ya están cocidas se retiran y se escurren. En una cazuela de hornear, se colocan las rodajas de pescado y las patatas, y se vierte el sofrito por encima.

6 Se salpimenta y se introduce en el horno durante 15 minutos. Se rectifica la sal y se sirve, espolvoreado con perejil picado.

Lenguado hortelano

👤	**4 personas**
🕐	**60 minutos**
🍲	**Fácil**
$	**Caro**
⚖	**330 calorías**
✎	**Recomendable**

4 lenguados
4 patatas medianas
300 g de guisantes
1 diente de ajo
Hierbas aromáticas
Perejil picado
1 cebolla mediana
1 limón
4 cucharadas de aceite de oliva
1 cucharada de pan rallado
1 vaso de cava brut nature (sin azúcar añadido)
Sal y pimienta

1 En primer lugar, se lavan, se pelan y se trocean las patatas. Se cuecen en agua con sal junto con los guisantes desgranados. A los 20 minutos se retiran del fuego y se escurren bien.

2 A continuación, se rellenan los lenguados con las hierbas aromáticas, el perejil, el ajo y la cebolla picados, y con una rodaja de limón. Se salpimenta.

3 Se riega con el aceite y con el resto del limón, y se espolvorea el pan rallado.

4 Se cocina en el horno a 180 °C junto con las patatas y los guisantes durante media hora. Se riega con el cava de vez en cuando para evitar que se reseque.

5 Se sirve inmediatamente.

Lenguado con relleno de zanahorias

👤	**4 personas**
🕐	**40 minutos**
🍲	**Difícil**
$	**Caro**
⚖️	**300 calorías**
	Recomendable

600 g de filetes de lenguado
400 g de zanahorias
50 g de mantequilla
1 cebolla pequeña
1 tomate
1 diente de ajo picado
1 cucharada de perejil picado
1 vaso de caldo vegetal
1 vasito de vino blanco
1 limón
Sal y pimienta

1 En una cazuela ancha, se funde la mitad de la mantequilla a fuego lento. Luego se añade la cebolla finamente picada y el diente de ajo.

2 Transcurridos 5 minutos, se incorpora el tomate pelado, sin semillas y triturado, y se deja rehogar un par de minutos más.

3 A continuación, se agrega el caldo, la corteza de medio limón y un poco de perejil picado, y se prolonga la cocción otros 10 minutos.

4 Se lavan las zanahorias, se cortan en rodajitas y se sofríen con el resto de la mantequilla; se riega con el vino.

5 Seguidamente, se rocía el pescado con el jugo del limón e, inmediatamente, se abre cada lenguado con un corte de la cola a la cabeza, pero dejando que la carne siga unida. Se retira cuidadosamente la espina, y se rellena con las zanahorias.

6 Cuando la salsa empiece a espesar se retira del fuego. Se colocan los lenguados rellenos en una fuente de horno, se rocían con la salsa y se introducen en el horno a 180° durante 20 minutos.

Mejillones a la mallorquina

👤	**4 personas**
🕐	**40 minutos**
🍲	**Fácil**
$	**Medio**
⚖️	**315 calorías**
	Recomendable

1 kg de mejillones
200 g de zanahorias
200 g de patatas
1 cebolla mediana
16 cebollitas tiernas
4 cucharadas de aceite de oliva
100 g de sobrasada
2 dientes de ajo
1 ramita de hinojo
1 ramita de tomillo
Unas hojas de menta
Sal y pimienta

1 Se lavan los mejillones en agua fría y se ponen a fuego bajo en una cacerola con agua y las hierbas aromáticas.

2 Mientras, se lavan, se pelan y se trocean las patatas y las zanahorias, y se ponen a cocer en una cazuela con agua y sal.

3 Se pica la cebolla y el tomate, y se tritura este último después de haberle quitado las semillas. En una cazuela de barro, se hace un sofrito con la cebolla picada, el aceite y los dientes de ajo.

4 Cuando empieza a dorar la cebolla, se añaden la sobrasada y el tomate rallado. Se deja reducir todo unos 10 minutos.

5 Finalmente, se incorporan los mejillones y las cebollitas, y se dejan 20 minutos más.

6 Cuando ya estén cocidas las patatas y las zanahorias, se añaden a la cazuela y se rectifica la sal. Se sirve caliente.

Mejillones montañesa

👤	**4 personas**
🕐	**20 minutos**
👨‍🍳	**Fácil**
$	**Medio**
⚖️	**280 calorías**
🌿	**Recomendable**

1 kg de mejillones
400 g de champiñones
50 g de mantequilla
1 limón
1 vasito de vino blanco
1 cebolla mediana
1 pizca de hierbas aromáticas
Sal y pimienta

1 Se lavan los mejillones y se hacen al vapor. Seguidamente, se separa la carne de las valvas.

2 Mientras, se lavan y se cortan los champiñones, y se rocían con el jugo de limón.

3 En un cazo, se funde la mantequilla y se dora la cebolla picada.

4 Cuando esté lista, se incorporan los champiñones y las hierbas aromáticas. Al cabo de 5 de minutos, se riega con el vino y se rehoga todo 5 minutos más; se rectifica la sal.

5 Se coloca en una fuente y se sirve el plato bien caliente.

Merluza a la plancha con guarnición verde

👤	**4 personas**
🕐	**30 minutos**
👨‍🍳	**Fácil**
$	**Caro**
⚖️	**300 calorías**
🌿	**Muy recomendable**

4 rodajas de merluza
6 zanahorias
2 puerros
2 ramas de apio
1 tazón de caldo vegetal o fumet de pescado
150 g de judías verdes
1 ramita de perejil
2 dientes de ajo
2 cucharadas de aceite de oliva
1 limón
Sal

1 Se lavan y se cortan en juliana las verduras.

2 Se rehogan en una cacerola con el aceite y el caldo o fumet.

3 A continuación, se riegan las rodajas de merluza con el jugo de limón, se sazonan y se hacen a la plancha.

4 Cuando las verduras ya están cocidas, se retiran del fuego y se sirven como guarnición del pescado.

Pastel de pescadilla

👤	**4 personas**
🕐	**40 minutos**
🍲	**Fácil**
$	**Medio**
⚖	**300 calorías**
〰	**Muy recomendable**

400 g de pescadilla
1 diente de ajo
200 g de zanahorias
200 g de patatas
4 cucharadas de aceite de oliva
Perejil picado
1 pizca de orégano
El jugo de tres limones
Sal y pimienta

1 En primer lugar, se lavan, se pelan y se trocean las zanahorias; se hace lo mismo con las patatas, y se cuecen.

2 Mientras, se limpia la pescadilla, y se le quitan las espinas. Se seca bien.

3 Una vez cocidas las patatas y las zanahorias, se retiran del fuego y se pasan por la batidora.

4 Con el puré obtenido, el ajo y el perejil picados, el orégano, la sal y la pimienta se prepara una pasta.

5 En un molde grande untado con aceite se van formando capas alternas de pescado y pasta. Se deja cocer en el horno al baño maría durante 40 minutos y con la cazuela tapada.

6 Poco antes de que esté, se añade el jugo de los limones y se deja 5 minutos más.

Pescadilla con manzanas golden

👤	**4 personas**
🕐	**60 minutos**
🍲	**Fácil**
$	**Medio**
⚖	**280 calorías**
〰	**Recomendable**

1 pescadilla de 1 kg
4 manzanas golden
1 naranja
20 g de mantequilla
1 diente de ajo
Perejil picado
1 vaso de caldo vegetal
1 limón
Sal y pimienta

1 En primer lugar, se lavan, se pelan y se cortan en rodajas de medio centímetro de grosor las manzanas. Se pelan las naranjas y se cortan en rodajas muy finas.

2 A continuación, se limpia la pescadilla y se le hacen cortes desde el lomo hasta el vientre, pero con mucho cuidado para que no se llegue a separar por abajo. Dentro de cada corte se coloca una rodaja de manzana.

3 Entre las rodajas de manzana se da un corte pequeño donde se introduce media rodaja de naranja.

4 Seguidamente, se rocía con el jugo del limón y se salpimenta.

5 Se engrasa una fuente con mantequilla, y se reparte el resto sobre el dorso del pescado.

6 Se pone el vaso de caldo en la fuente, y se deja cocer en el horno a 160° durante 40 minutos.

7 Se sirve el pescado en su propio jugo, adornado con el perejil picado.

Pulpitos a las hierbas aromáticas

👤	**4 personas**
🕐	**40 minutos**
👨‍🍳	**Fácil**
$	**Caro**
⚖️	**310 calorías**
✂️	**Recomendable**

1 kg de pulpitos
4 patatas medianas
4 tomates maduros
1 diente de ajo
1 vasito de vino blanco
1 ramita de perejil
1 ramita de mejorana
1 ramita de hinojo
2 cucharadas de aceite de oliva
Sal y pimienta

1 Se lavan, se pelan y se trocean las patatas, y se cuecen en una olla a fuego vivo durante 10 minutos, pero sin dejar que se hagan del todo.

2 A continuación, se pone una cacerola con el aceite, el diente de ajo y los pulpitos a fuego medio.

3 Se corta el tomate en dados, y se incorpora a la cacerola junto con las hierbas aromáticas y el vino blanco, la sal y la pimienta.

4 Se deja cocer a fuego medio durante 30 minutos. A media cocción, se incorporan las patatas. Se deja que se haga todo unos minutos más y se sirve.

Pulpo en vinagreta de olivas negras

👤	**4 personas**
🕐	**60 minutos**
👨‍🍳	**Fácil**
$	**Medio**
⚖️	**180 calorías**
🌿	**Muy recomendable**

2-4 pulpos medianos
1 pimiento verde
1 cebolla
200 g de aceitunas negras
Sal y pimienta
Salsa vinagreta (véase salsas)

1 En primer lugar, se lava bien el pulpo bajo el chorro del grifo y se pone a hervir a fuego vivo una media hora. Una vez finalizada la cocción, se retira y se escurre.

2 Mientras, se prepara la vinagreta.

3 Se incorporan a la vinagreta la cebolla y el pimiento picados bien finos.

4 A continuación, se deshuesan las olivas negras y se trocea la pulpa con un cuchillo.

5 Se corta el pulpo en trozos de unos 2 cm, se coloca en una fuente y se mezcla con la vinagreta y las olivas. Antes de servir, se deja que macere en el frigorífico durante un par de horas.

* Este plato es exquisito, rico en proteínas y no contiene apenas grasas animales. Resulta apto y recomendable para cualquier temporada del año.

Rape al estilo Burdeos

👤	**4 personas**
🕐	**40 minutos**
👨‍🍳	**Fácil**
$	**Caro**
⚖️	**300 calorías**
🌿	**Recomendable**

4 rodajas de rape
400 g de guisantes
200 g de patatas pequeñas, ya peladas
2 tomates medianos
2 dientes de ajo triturados
Perejil, tomillo y mejorana picados
2 tazones de caldo vegetal
1 cucharada de vinagre
Sal y pimienta

1 Se pican en un mortero las hierbas aromáticas y el ajo junto con el vinagre. Con esta salsa se maceran las rodajas de pescado en la nevera durante 6 horas.

2 Seguidamente, se coloca en una cazuela el caldo vegetal, el otro diente de ajo y los tomates pelados, sin semillas y troceados.

3 En cuanto comience a hervir, se añaden los guisantes y se cuece durante unos 20 minutos. A la mitad de la cocción, se incorporan las patatitas.

4 Transcurrido este tiempo, se añade el rape con el líquido de maceración y se mantiene a fuego medio otros 20 minutos. Se salpimenta y se sirve.

Rape con guarnición de setas y hierbas

👤	**4 personas**
🕐	**40 minutos**
🍳	**Fácil**
$	**Caro**
⚖️	**330 calorías**
✂️	**Recomendable**

4 filetes de rape
1 cucharada de aceite
1 diente de ajo
1 cebolla pequeña
300 g de champiñones
1 cucharada de tomillo picado
1 cucharada de perejil picado
30 g de pan rallado
2 cucharadas de jugo de limón
Sal

1 En un mortero se pican el ajo y la cebolla. Seguidamente, se lavan y se cortan en láminas los champiñones.

2 Se pone el aceite en una cazuela y se doran el ajo y la cebolla a fuego medio durante 5 minutos hasta que se ablanden.

3 Después, se incorporan los champiñones, y se deja que se rehoguen un par de minutos más.

4 Transcurrido este tiempo, se incorporan las hierbas aromáticas, los tomates pelados y cortados en trozos, el pan rallado, la sal y la pimienta. Se mezcla bien y a los 10 minutos se retiran del fuego.

5 Se disponen los filetes de pescado en una fuente de horno con un poco de aceite y se cubren con las verduras. Se riegan con el zumo de limón y se hornean durante 20 minutos.

6 Por último, se sirve decorado con unas rodajas de limón y perejil picado por encima.

Rodaballo a la vasca

👤	**4 personas**
🕐	**30 minutos**
🍳	**Fácil**
$	**Caro**
⚖️	**370 calorías**
✂️	**Recomendable**

4 rodajas de rodaballo (un poco gruesas)
1 cebolla mediana
1 tomate maduro
200 g de guisantes verdes
8 coles de Bruselas
1 vasito de vino blanco
2 cucharadas de aceite
Sal

Para la picada:
1 diente de ajo
1 rebanada de pan tostado
20 g de avellanas tostadas
20 g de almendras tostadas
1 cucharadita de vinagre

1 En primer lugar, se pela y se pica la cebolla. Se pela y se tritura el tomate.

2 Seguidamente, se ponen a hervir los guisantes y las coles en agua con sal durante 15 minutos.

3 En una cacerola, se sofríe la cebolla en el aceite caliente; cuando está dorada, se riega con el vino y se deja reducir a fuego lento un par de minutos. Se incorpora entonces el tomate y la sal, y se deja que cueza 10 minutos más.

4 A continuación, se disponen las rodajas de pescado en una bandeja de hornear, junto con el sofrito, los guisantes y las coles escurridas.

5 Se hornea a 180 °C durante aproximadamente 20 minutos.

6 Mientras, se prepara la picada con el ajo, el perejil, los frutos secos pelados y el pan troceado y humedecido en un poco de vinagre.

7 Cinco minutos antes de sacar el pescado del horno se le añade la picada.

Rodaballo a la vinagreta de olivas

👤	**4 personas**
🕐	**40 minutos**
👨‍🍳	**Fácil**
$	**Caro**
⚖️	**320 calorías**
✏️	**Recomendable**

4 filetes medianos de rodaballo
400 g de olivas negras deshuesadas
200 g de setas
1 taza de caldo vegetal
1 cucharada de perejil picado
1 limón
3 cucharadas de aceite de oliva
Salsa vinagreta (véase salsas)
Sal y pimienta

1 Se pican las aceitunas, se riegan con el jugo de limón y se reservan. Se lavan y se trocean las setas.

2 Seguidamente, se rehogan las setas en una cazuela con el aceite de oliva durante 5 minutos.

3 Se ponen los filetes de rodaballo en una cazuela con el caldo vegetal y se cuecen a fuego lento durante 20 minutos.

4 Mientras, se prepara la salsa vinagreta.

5 Una vez que el pescado esté cocido, se pone en una fuente con las setas y las aceitunas y se deja enfriar durante unos minutos en el frigorífico.

6 Por último, se riega todo con la vinagreta antes de servir.

* Este plato se puede hacer con cualquier tipo de setas, aunque las más conocidas y empleadas sean los níscalos o los rovellones.

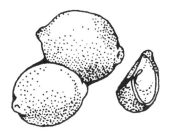

Rodajas de merluza a la vasca

👤	**4 personas**
🕐	**30 minutos**
👒	**Fácil**
$	**Caro**
⚖️	**330 calorías**
🔖	**Recomendable**

4 rodajas de merluza
1 cucharada de pasas de Corinto
8 cebolletas
1 cucharada de harina
3 cucharadas de aceite de oliva
Unas ramas de perejil
2 vasos de caldo
1 diente de ajo
1 vasito de vino blanco
Sal y pimienta

1 En primer lugar, se ponen a remojo las pasas con el vino blanco unas horas.

2 A continuación, se pasa la merluza por la harina y se sofríe en una sartén.

3 Transcurridos 4 minutos, se retira del fuego y se reserva en un plato. En la sartén, se rehogan el diente de ajo y las cebolletas cortadas en cuartos.

4 Se sazona todo y se deja que se dore durante unos minutos; transcurrido este tiempo, se incorporan las pasas con el vino, y se deja que reduzca unos minutos.

5 Para finalizar, se incorporan las rodajas de merluza, el perejil y, a los dos minutos, el caldo vegetal, y se mantiene a fuego lento durante 15 minutos. Luego se sirven, con la guarnición de cebolletas y pasas.

Rodajas de rape con pasas

👤	**4 personas**
🕐	**30 minutos**
👒	**Fácil**
$	**Caro**
⚖️	**315 calorías**
🔖	**Recomendable**

4 rodajas de rape
100 g de pasas
8 cebolletas
1 cucharada de harina
3 cucharadas de aceite de oliva
2 vasos de caldo
1 diente de ajo
1 vasito de vino blanco
Sal y pimienta
Perejil

1 Se ponen en remojo las pasas con el vino blanco durante unas horas.

2 Se pone el aceite a calentar en una sartén, se enharina el rape y se sofríe. Se reserva.

3 En el mismo aceite se sofríen las cebolletas cortadas en cuartos con el diente de ajo.

4 A continuación, se agregan las pasas con el vino y se deja que reduzca unos minutos.

5 Se incorpora el rape, el perejil y, a los dos minutos, el caldo vegetal; se deja que cueza todo durante 15 minutos.

6 Se sirve el pescado con la guarnición de cebolletas, pasas y el caldo de cocción.

Salmón con guarnición verde

👤	**4 personas**
🕐	**40 minutos**
👩‍🍳	**Fácil**
$	**Medio**
⚖	**290 calorías**
🌿	**Muy recomendable**

4 rodajas de salmón fresco
1 kg de espinacas
50 g de pasas
40 g de aceite de oliva
1/2 vasito de crema de leche
1 limón
Ajo y perejil triturados
Sal y pimienta blanca

1 En primer lugar, se lavan, se trocean y se cuecen las espinacas.

2 Seguidamente, se colocan los trozos de salmón lavados, sin espinas y rociados con jugo de limón en una cazuela; se incorpora el aceite, se salpimenta y se perfuma todo con el ajo y el perejil.

3 Se deja que se vaya haciendo el pescado a fuego lento durante unos 20 minutos, con la cazuela tapada.

4 Una vez cocidas las espinacas, se escurren y se saltean en una sartén con la crema de leche y las pasas.

5 Se retiran del fuego y se colocan en la cazuela alrededor del salmón. Se remueve cuidadosamente el contenido de la cazuela, y se deja que cueza a fuego lento otros 10 minutos, antes de servir.

Salmonetes rellenos

👤	**4 personas**
🕐	**20 minutos**
👩‍🍳	**Fácil**
$	**Económico**
⚖	**260 calorías**
🌿	**Recomendable**

800 g de salmonetes
2 pimientos rojos
3 cucharadas de aceite de oliva
Perejil y ajo triturados
2 anchoas desaladas
2 cucharadas de harina
1 vasito de vino blanco seco
Sal
Pimienta recién molida

1 Se lavan los salmonetes y se escurren.

2 Se lavan los pimientos y se asan.

3 En una cazuela ancha con aceite se saltea el perejil y el ajo triturado; después se añaden las anchoas cortadas en pedazos y se cuecen hasta que se deshacen bien.

4 Se riega con el vino, se salpimenta y se deja cocer un par de minutos más.

5 Cuando los pimientos ya están asados, se pelan y se cortan en tiras del mismo tamaño que el pescado.

6 Se coloca una tira en el interior de cada salmonete, y se cierran con la ayuda de un palillo. Se enharinan.

7 En una sartén grande, se calienta el aceite y se fríe el pescado. Se sirve inmediatamente con la salsa.

Salmonetes con relleno de tomate

⚇	**4 personas**
⏱	**30 minutos**
♘	**Fácil**
$	**Medio**
⚖	**340 calorías**
✍	**Recomendable**

4 salmonetes
3-4 tomates
4 dientes de ajo
Unas hojas de salvia
3 cucharadas de aceite de oliva
50 g de parmesano rallado
Sal y pimienta

1 En primer lugar, se lavan los tomates y se cortan en rodajas. Se limpian y se secan los salmonetes.

2 Se preparan 4 rectángulos de papel de aluminio de tamaño suficiente para envolver cada pescado.

3 Se salpimentan los salmonetes, y se condimentan con el diente de ajo y las hojas de salvia.

4 A continuación, se rellenan con las rodajas de tomate espolvoreadas con el parmesano y se riegan con un poco de aceite. Se cierran las hojas de papel de aluminio y se ponen en una plancha caliente o bien en el horno a 200 °C durante 15-20 minutos.

5 Se sirven en una fuente, regados con su propio aceite de cocción.

Salmonetes con salsa de escalonia y puerros

⚇	**4 personas**
⏱	**50 minutos**
♘	**Fácil**
$	**Medio**
⚖	**300 calorías**
✍	**Recomendable**

800 g de salmonetes
4 escalonias
1 cebolla
4 puerros medianos
1 diente de ajo
1 ramita de tomillo
1 vaso de nata líquida
2 cucharadas de aceite de oliva
1 vasito de vino blanco
Sal y pimienta

1 Se lavan y se trocean las verduras. Se rehogan en un sartén con la nata líquida, y se perfuman con el tomillo.

2 A continuación, se riegan con la mitad del vino blanco, y se dejan unos minutos más al fuego. Terminada la cocción, se pasan por el pasapurés.

3 Seguidamente, se limpian bien los salmonetes, se salpimentan y se sofríen en una sartén con el aceite. Se añade el resto del vino.

4 Se cuecen a fuego moderado 10 minutos. Se retiran del fuego, se colocan en una fuente y se sirven acompañados de la salsa de escalonias y puerros.

Trucha con relleno verde

👤	**4 personas**
🕐	**40 minutos**
♡	**Fácil**
$	**Medio**
⚖	**320 calorías**
✎	**Recomendable**

4 truchas
16 espárragos en conserva
1/2 l de aceite
1 pimiento rojo
Sal y pimienta

1 En primer lugar se asa el pimiento.

2 Seguidamente, se limpian y se salpimentan las truchas, y se abren por el vientre. En su interior se colocan cuatro espárragos.

3 Se pela el pimiento, y se corta en tiras finas; se colocan estas tiras también como relleno del pescado.

4 Seguidamente, se enharinan las truchas.

5 En una sartén con aceite de oliva bien caliente, se fríen 5 minutos por cada lado.

Vieiras a la inglesa

👤	**4 personas**
🕐	**30 minutos**
♡	**Fácil**
$	**Medio**
⚖	**220 calorías**
✎	**Recomendable**

16 vieiras
4 patatas medianas
4 cucharadas de aceite de oliva
1 cebolla mediana
2 vasos de caldo vegetal
2 cucharadas de pan rallado
Sal

1 En primer lugar, se abren las vieiras, se retira de su interior la bolsa marrón y se ponen a remojo en agua con sal durante una media hora.

2 Mientras, se lavan, se pelan y se trocean las patatas.

3 En una sartén, se sofríe la cebolla y, a continuación, se rehogan las patatas cortadas en dados pequeños junto con el caldo vegetal durante 10 minutos. Se rectifica la sal.

4 Se hacen las vieiras a la parrilla y se colocan en una fuente caliente.

5 A continuación, se retiran las patatas del fuego y se colocan como guarnición de las vieiras. Por encima se espolvorea el pan rallado.

6 Por último, se hornea todo a 160° unos minutos hasta que la superficie quede ligeramente tostada.

Vinagreta de almejas

👤	**4 personas**
🕐	**20 minutos**
🎩	**Muy fácil**
$	**Medio**
⚖️	**200 calorías**
	Recomendable

1 kg de almejas
1 lata de pimientos rojos
1 lata de guisantes
1 cebolla mediana
50 g de aceitunas negras
Sal
Salsa vinagreta (véase salsas)

1 Se lavan las almejas y se cuecen en agua con sal.

2 A continuación, se elimina la valva que está vacía.

3 Mientras, se prepara una mezcla con la cebolla y el pimiento troceados, los guisantes y las aceitunas.

4 Se dispone esta mezcla en el centro de la fuente donde luego se colocarán las almejas.

5 Por último, se riega todo con la vinagreta y ya no queda más que servir este delicioso plato.

Huevos

Del huevo se ha dicho que es la proteína ideal, en referencia a su alto valor nutritivo y a la gran variedad de aminoácidos que aporta. Esto es válido para la clara, que, siempre que esté bien cocinada, no resulta nada indigesta. La yema, sin embargo, es pobre en proteínas y muy rica en grasa y colesterol, lo cual debe ser tenido en cuenta por las personas que, además de ser diabéticas, presentan una tasa de colesterol alto. Para niños y adultos sin otras complicaciones que una diabetes moderada, el huevo puede figurar en la dieta de forma regular y constante.

PINCHOS DE MAR

300 g de colas de gambas, 300 g de sepias pequeñas, 200 g de champiñones, 1 pimiento rojo, 1 pimiento amarillo, 1 pimiento verde, 1 calabacín, ajo, perejil, zumo de limón, aceite de oliva virgen, sal y pimienta.

Comenzaremos lavando y secando bien las gambas y las sepias; a continuación, prepararemos una marinada con el aceite, el zumo de limón, el ajo, el perejil, la sal y la pimienta, y dejaremos las gambas y las sepias en esta marinada durante media hora; luego las escurriremos y reservaremos el líquido. Seguidamente, lavaremos bien los pimientos, el calabacín y los champiñones, y los trocearemos. Por último, ensartaremos en 10 pinchos de brocheta todos los ingredientes, alternándolos, y los asaremos pintándolos de vez en cuando con el líquido de la marinada.

LANGOSTINOS SALTEADOS

6 colas de langostino por persona, ajos, aceite, sal

En una sartén calentaremos el aceite, pondremos los ajos laminados y, antes de que se doren, añadiremos los langostinos ya sazonados. Los dejaremos hasta que tomen color y los retiraremos del fuego. Podemos servirlos acompañados de ensalada rizada, puré de patata y tomates secados al horno.

HUEVOS REVUELTOS CON JAMÓN Y CHAMPIÑONES

5 huevos, 200 g de champiñones, 100 g de jamón cocido, ½ vaso de vino blanco, 4 cucharadas de nata para cocinar La Lechera, 2 tomates, 1 cebolla, 50 g de mantequilla, sal y pimienta

Doraremos la cebolla picada en la mantequilla; añadiremos los tomates rallados y sazonaremos con sal y pimienta, dejando cocer unos 20 minutos. Añadiremos los champiñones laminados y el vino, y coceremos hasta que este se reduzca. Agregaremos los huevos batidos y mezclados con la nata y el jamón cortado en tiritas; coceremos, removiendo continuamente, hasta que los huevos estén cuajados; rectificaremos el sazonado. Serviremos el plato inmediatamente, acompañado con unas tostadas.

MOUSSE DE MELOCOTÓN

7 melocotones, zumo de limón, 15 cl de nata, hojas de menta, edulcorante líquido
Pelaremos los melocotones, cortaremos uno en láminas finas y lo reservaremos; los restantes, los trituraremos con la batidora. A continuación, montaremos la nata y le añadiremos unas gotas de edulcorante. Incorporaremos la nata a la pulpa de melocotón, removiendo con cuidado. Repartiremos la mousse en copas individuales, adornaremos con láminas de melocotón y hojas de menta, y la serviremos bien fría.

Huevos duros con espárragos

👤	4 personas
🕐	30 minutos
👨‍🍳	Fácil
$	Medio
⚖️	300 calorías
✏️	Recomendable

4 huevos
16 espárragos en conserva
1 cebolla
4 puerros medianos
1 vaso de caldo vegetal
1 diente de ajo
1 ramita de tomillo
1 vaso de nata líquida (sin azúcar)
2 cucharadas de aceite de oliva
1 vasito de vino blanco
Sal y pimienta

1 Se lavan y se trocean las verduras; se salpimentan, y se rehogan en una sartén con el caldo y la nata líquida. Se perfuman con el tomillo.

2 A los 5 minutos, se riegan con el vino blanco.

3 Mientras, se hierven los huevos en agua con sal. Una vez cocidos, se pelan y se cortan por la mitad.

4 Se pasan las verduras por el colador chino.

5 Se disponen las mitades de huevo en una fuente con los espárragos a su alrededor y se riega todo con la crema de verduras.

Huevos duros a la manchega

👤	4 personas
🕐	30 minutos
👨‍🍳	Fácil
$	Medio
⚖️	360 calorías
✏️	Recomendable

6 huevos
2 cebollas medianas
500 g de champiñones
4 tomates maduros
1 diente de ajo
1 vasito de vino blanco
1 vasito de agua o caldo vegetal
1 cucharadita de miel
4 cucharadas de aceite de oliva
1 limón
Sal y pimienta

1 Se pelan las cebollas y se cortan en rodajas finas. Se rehogan en una sartén con el aceite ya caliente.

2 Mientras, se lavan, se pelan y se trocean los tomates; se trituran con la ayuda de un tenedor.

3 Se lavan los champiñones, se cortan en láminas y se rocían con unas gotas de jugo de limón.

4 Cuando la cebolla está empezando a dorarse, se incorporan los tomates, las setas, el diente de ajo y el vasito de caldo. Se salpimenta.

5 En ese momento, se ponen a hervir los huevos en agua con sal. Pasados 10 minutos, se agrega la cucharadita de miel y el vino, y se remueve para que se disuelva bien. Transcurridos otros 5 minutos, se retira del fuego.

6 Una vez cocidos los huevos, se enfrían, se pelan, se parten por la mitad y se disponen en una fuente con la salsa como guarnición.

Huevos rellenos

👤	**4 personas**
🕐	**30 minutos**
🎩	**Fácil**
$	**Económico**
⚖️	**300 calorías**
✂️	**Recomendable**

6 huevos
1/4 kg de zanahorias
300 g de guisantes
2 patatas medianas
Unas ramas de perejil
Sal
Salsa mayonesa (véase salsas)

1 En primer lugar, se cortan las verduras como para ensaladilla y se ponen a hervir en agua con sal. Aparte, se ponen a cocer los huevos.

2 Se prepara la salsa mayonesa.

3 Se escurren las verduras una vez cocidas y se mezclan con la salsa.

4 Por último, se pelan los huevos, se cortan por la mitad y se colocan en una fuente. Para evitar que se balanceen, se les corta una lámina por la base.

5 Se separan las yemas de las claras, y se rallan las primeras.

6 Se rellenan las claras con la ensaladilla. Por último, se decoran espolvoreando por encima la yema rallada.

Huevos rellenos de macedonia de verduras

👤	**4 personas**
🕐	**30 minutos**
🎩	**Fácil**
$	**Económico**
⚖️	**280 calorías**
✂️	**Recomendable**

4 huevos
400 g de guisantes
4 zanahorias
2 patatas medianas
1 manojo de berros
Sal
Salsa vinagreta

1 Se lavan, se trocean y se cuecen las verduras en agua con sal.

2 Seguidamente, se cuecen los huevos. Mientras, se prepara la vinagreta. Se escurren las verduras y se mezclan con la salsa.

3 Se pelan los huevos y se parten por la mitad. Se vacían las yemas, y se reservan.

4 Se corta la base de las mitades de huevo cocido para evitar que se balanceen.

5 Finalmente, se rellenan las claras con la macedonia de verduras. Se rallan las yemas y se espolvorea con ellas la superficie de los huevos rellenos. Se sirve.

Pastelillos de col

👤	**4 personas**
🕐	**40 minutos**
👒	**Fácil**
$	**Medio**
⚖	**310 calorías**
〰	**Muy recomendable**

4 tartaletas de hojaldre
4 huevos duros
600 g de col
1/4 l de leche
1 cucharada de harina
1 cucharada de aceite
20 g de mantequilla
1/2 kg de tomates maduros
2 cucharadas de aceite
Sal y pimienta

1 Se lavan, se trocean las hojas de col y se hierven durante 10 minutos.

2 Seguidamente, se cuecen los huevos en agua con sal.

3 Se lavan los tomates, se pelan, se trocean y se sofríen en una sartén con 2 cucharadas de aceite.

4 A los 5 minutos, se rectifica la sal y se deja 10 minutos más.

5 Se prepara la besamel con la harina, la mantequilla y la leche (véase salsas).

6 Para terminar, se escurre bien la col, se pasa por la picadora y se mezcla con la besamel.

7 Se rellenan las tartaletas con la mezcla, se coronan con las dos mitades de huevo duro y se riegan con la salsa de tomate.

Revoltillo a la francesa

👤	**4 personas**
🕐	**30 minutos**
👒	**Fácil**
$	**Económico**
⚖	**300 calorías**
〰	**Recomendable**

6 huevos
1 diente de ajo
400 g de guisantes
1/2 kg de patatas
1 cucharada de aceite de oliva
Perejil picado
Sal y pimienta

1 En primer lugar, se pone una cazuela al fuego con agua y sal, y cuando rompe a hervir se incorporan los guisantes.

2 Seguidamente, se lavan, se pelan y se trocean las patatas.

3 Transcurridos 10 minutos, se incorporan las patatas a la cazuela de los guisantes, y se deja que cueza otros 10 minutos.

4 A continuación, se retira la cazuela del fuego y se escurren muy bien las verduras.

5 En una sartén, se dora un diente de ajo con el aceite. Se saltean las verduras un par de minutos, y se reservan.

6 En esa misma sartén, se vierten los huevos, previamente batidos y salpimentados. Se remueven para que no se peguen, y cuando están cremosos, se incorporan las hortalizas. Se continúa removiendo bien con la cuchara de madera, y se sirve al momento.

4 En la misma sartén donde se ha sofrito el pan, se funde el resto de la mantequilla y se rehogan las acelgas.

5 Transcurridos un par de minutos, se incorporan los huevos y se van mezclando con la verdura, removiendo bien hasta que queden cremosos.

6 Se sirve el revuelto, adornado con el pan frito.

Revoltillo verde

👤	**4 personas**
🕐	**40 minutos**
🍳	**Fácil**
$	**Económico**
⚖	**320 calorías**
✂	**Recomendable**

1 kg de acelgas
6 huevos
50 g de mantequilla
1 vaso de vino blanco
1 rebanada de pan
Sal y pimienta

1 Se lavan y se trocean las acelgas, y se cuecen en agua con sal durante 15 minutos.

2 Mientras, se pone una sartén a fuego medio con un poco de mantequilla, y en ella se sofríe el pan cortado en cuadraditos. Cuando esté bien tostado, se retira.

3 Se escurren las acelgas una vez cocidas, y se reservan. Aparte, se baten y se sazonan los huevos.

Tortilla de espárragos

👤	**4 personas**
🕐	**30 minutos**
🍳	**Fácil**
$	**Medio**
⚖	**220 calorías**
✂	**Recomendable**

6 huevos
1 lata de espárragos
2 patatas medianas
1 cucharada de aceite de oliva
Sal

1 Se cuecen las patatas y, una vez cocidas, se escurren bien y se trituran.

2 En una sartén, se calienta el aceite y se rehogan las patatas y los espárragos.

3 Transcurrido este tiempo, se incorporan los huevos.

4 Cuando la tortilla esté hecha por un lado, se le da la vuelta con un plato llano y se cuaja por el otro lado.

Tortilla hortelana

👤	4 personas
🕐	20 minutos
👨‍🍳	Fácil
$	Medio
⚖️	280 calorías
✍️	Recomendable

6 huevos
150 g de judías blancas ya cocidas
100 g de chistorra o butifarra negra
1 diente de ajo
50 g de manteca de cerdo
1 pizca de hierbas aromáticas
Sal y pimienta

1 Se funde la manteca en una sartén a fuego medio con el diente de ajo para que se dore.

2 Se corta en rodajas el embutido, y se saltea en la sartén.

3 A continuación, se hace lo mismo con las judías.

4 Se baten y se sazonan los huevos.

5 Se retira el diente de ajo de la sartén, y se vierten los huevos batidos. Se deja que la tortilla cuaje por las dos caras.

* Se trata de un plato muy completo pero, sobre todo, muy rico en proteína y grasa, por lo que debe reservarse para los días de invierno o las mañanas de excursión.

Tortilla mixta

👤	4 personas
🕐	20 minutos
👨‍🍳	Fácil
$	Económico
⚖️	280 calorías
✍️	Recomendable

8 huevos
1/2 kg de calabacín
100 g de beicon o tocino entreverado
1 cebolla mediana
6 cucharadas de aceite de oliva
Sal

1 Se lavan y se pelan los calabacines y la cebolla, y se trocean. Se sazonan.

2 Se coloca una sartén con 4 cucharadas de aceite en el fuego y se dora la cebolla. A continuación, se incorpora el calabacín y se deja que se haga durante 5 minutos.

3 Con la ayuda de una espumadera, se retiran las hortalizas de la sartén.

4 Se sofríe ligeramente el beicon troceado. A continuación, se baten los huevos con una pizca de sal y se mezclan con el calabacín.

5 Se coloca una sartén con dos cucharadas de aceite a fuego medio y, cuando esté bien caliente, se vierte en ella la mezcla.

6 Cuando la tortilla ha cuajado por un lado, se le da la vuelta con la ayuda de una tapadera o un plato llano, y se cuaja por el otro. Se sirve.

Tortilla de níscalos

👤	**4 personas**
🕐	**30 minutos**
🍽	**Fácil**
$	**Medio**
⚖	**340 calorías**
✂	**Recomendable**

6 huevos
500 g de níscalos
1 cebolla
1 diente de ajo
1 limón
2 cucharadas de aceite de oliva
Sal y pimienta

1 Se lavan, se pelan y se pican las cebollas. Se limpian bien las setas, se trocean y se rocían con el jugo del limón.

2 Se pone a fuego medio una sartén con dos cucharadas de aceite de oliva, y se rehogan la cebolla y el diente de ajo.

3 Transcurridos 5 minutos, se incorporan las setas y el vino blanco. Se prosigue la cocción a fuego medio 10 minutos más.

4 A continuación, se baten los huevos con una pizca de sal y pimienta.

5 Una vez hechas las setas, se retira el exceso de aceite y el diente de ajo de la sartén. En ese momento se incorporan los huevos.

6 Una vez que la tortilla ha cuajado por un lado, se le da la vuelta con un plato llano y se termina de hacer por la otra cara. Por último, una vez que está bien hecha por las dos caras, se sirve.

Repostería y postres

Las características de la fruta son similares a las de la verdura: presenta un elevado contenido en agua y una alta capacidad para regular el tránsito intestinal, por su riqueza en fibra, pero alimenta poco por su escaso aporte de nutrientes. Además, aporta algunas vitaminas y minerales, y el famoso azúcar de la fruta, la fructosa, sobre el que tanto se ha escrito.

Es necesario tener siempre presente que la fructosa se transforma en glucosa de forma relativamente rápida en el organismo, y, por ello, no puede figurar en cantidades relativamente altas en la dieta de un diabético (estas cantidades excesivas no se dan en la fruta, pero sí en alimentos elaborados para diabéticos en los que figura como ingrediente fundamental: chocolate, galletas, etc.).

En las siguientes recetas se pueden encontrar muchas frutas, bastantes almidones y pocas aportaciones de fructosa «artificial» (chocolate, galletas...).

La miel también se emplea en algunas recetas, pero siempre con moderación.

Arroz con leche para diabéticos

👤	**4 personas**
🕐	**40 minutos**
👩‍🍳	**Fácil**
$	**Económico**
⚖️	**120 calorías**
🖐️	**Muy recomendable**

4 cucharadas de arroz
La piel de un limón
1/2 l de leche desnatada
Edulcorante líquido
Canela en polvo

1 En primer lugar, se pone a cocer el arroz en una olla con agua y sal.

2 Mientras, se coloca la leche y la piel de limón en un cazo.

3 Terminada la cocción del arroz, se escurre y se incorpora a la cazuela de la leche.

4 Se añade el edulcorante, y se remueve con delicadeza.

5 Se dispone en fuentes individuales, se espolvorea con canela en polvo y se sirve cuando esté frío.

Blanco y rojo

👤	**4 personas**
🕐	**15 minutos**
👩‍🍳	**Muy fácil**
$	**Económico**
⚖️	**90 calorías**
🖐️	**Recomendable**

4 peras grandes
1/2 kg de fresas
1-2 cucharaditas de edulcorante
1 vasito de agua
1 limón

1 En primer lugar, se lavan y se cortan las fresas.

2 Aparte, se disuelve el edulcorante con el vasito de agua y el jugo del limón.

3 Se bate esto con las fresas, y se reserva en la nevera. Mientras, se lavan, se pelan y se trocean las peras.

4 Se disponen en una fuente o plato, y se riegan con la salsa de fresas.

5 Se guarda en la nevera hasta el momento de servir, ya que si no la fruta se oxida y se oscurece su color.

Compota de manzanas para diabéticos

👤	**4 personas**
🕐	**40 minutos**
🍳	**Fácil**
$	**Económico**
⚖	**120 calorías**
✎	**Recomendable**

8 manzanas
2 cucharaditas de edulcorante
1 ramita de canela
1 vasito de agua

1 Se lavan y se pelan las manzanas; se trocean.

2 Seguidamente, se dispone un cazo con el vasito de agua en el fuego. Se ponen en él los trozos de manzana, la canela y el edulcorante, y se remueve hasta que este quede bien disuelto.

3 Se deja cocer a fuego medio aproximadamente 25 minutos.

4 Cuando la compota está lista, se retira del fuego y se vierte en una fuente.

5 Finalmente, se deja que se enfríe en la nevera y se sirve.

Crema de avellanas

👤	**4 personas**
🕐	**20 minutos**
🍳	**Fácil**
$	**Económico**
⚖	**120 calorías**
✎	**Consumo esporádico**

8 yemas de huevo
4 cucharaditas de miel
70 g de almidón o maicena
100 g de avellanas tostadas
Canela molida

1 En esta receta, la avellana se utiliza muy picada, por lo que, si es necesario, la pasaremos por el mortero.

2 Se baten las yemas con la miel y el almidón o maicena hasta que se obtenga una crema homogénea.

3 Seguidamente, se añaden las avellanas y la leche. Se calienta a fuego lento, removiendo sin cesar con una espátula de madera.

4 Cuando ha espesado lo suficiente, se enfría en la nevera un par de horas.

5 Se sirve en copas y se espolvorea con canela molida.

Crema inglesa al ron

👤	**4 personas**
🕐	**20 minutos**
👨‍🍳	**Muy fácil**
$	**Económico**
⚖	**140 calorías**
✒	**Consumo esporádico**

3/4 l de leche
100 g de pasas de Corinto
1 vasito de ron negro
8 yemas de huevo
4 cucharaditas de miel

1 Dos horas antes de comenzar a preparar la receta, se ponen en remojo las pasas con el ron.

2 Se comienza poniendo la leche a fuego medio y, mientras va calentándose, se baten las yemas con la miel.

3 Una vez que la leche está tibia (no hay que dejar que llegue a hervir), se retira del fuego y se mezcla con el batido de yemas y miel.

4 A continuación, se incorporan las pasas y el ron. Se pone todo de nuevo a fuego muy bajo, y se remueve constantemente para evitar que se pegue a las paredes del cazo.

5 Cuando la crema alcanza la viscosidad necesaria, se vierte en una fuente fría y se guarda en la nevera hasta la hora de servir. Se sirve fría, en copas individuales.

Crema de músico

👤	**4 personas**
🕐	**20 minutos**
👨‍🍳	**Fácil**
$	**Medio**
⚖	**200 calorías**
✒	**Consumo esporádico**

3/4 l de leche desnatada
150 g de leche de almendras
25 g de piñones
50 g de almendras tostadas
50 g de avellanas tostadas
50 g de nueces
50 g de pasas de Corinto
1 vasito de ron negro
1 ramita de canela

1 Un par de horas antes de empezar, se ponen las pasas en remojo con el ron.

2 Mientras, se pican los frutos secos y se reservan.

3 Se pone la leche a fuego medio hasta que comience a hervir.

4 Se incorpora la leche de almendras y la canela en rama.

5 A continuación se baja el fuego, y se incorporan las pasas con el ron y el resto de los frutos secos picados.

6 Se remueve lentamente y se lleva de nuevo a ebullición hasta que la crema adquiera el espesor deseado.

7 Por último, se enfría en la nevera. Al servir, se dispone en copas individuales, y se adorna con nueces.

Crema de piña para diabéticos

👤	**4 personas**
🕐	**30 minutos**
🍲	**Fácil**
$	**Económico**
⚖️	**190 calorías**
✎	**Consumo esporádico**

1 piña de 1 kg aproximadamente
200 g de fresas
100 g de nata sin azúcar
70 g de maicena
6 huevos
1 vaso de cava brut nature

1 Se limpia y se trocea la piña. Seguidamente, se pasan los trozos por la licuadora hasta obtener medio litro de zumo (es preferible hacerlo así, natural, para aprovechar mejor las vitaminas y la fibra).

2 A continuación, se deshace la maicena con el cava.

3 En una fuente, se baten los huevos con la nata, y se agrega luego la maicena disuelta.

4 Finalmente, se coloca todo en un cazo a fuego lento, y se remueve sin cesar hasta que se obtiene una crema espesa. Se deja que enfríe en la nevera un par de horas aproximadamente.

5 Antes de servir, se lavan y se trocean las fresas, se disponen en copas y se vierte sobre ellas la crema de piña bien fría.

Fresas agridulces

👤	**4 personas**
🕐	**15 minutos**
🍲	**Fácil**
$	**Económico**
⚖️	**110 calorías**
✎	**Recomendable**

600 g de fresones
1-2 cucharaditas de edulcorante
1 vasito de vinagre de jerez

1 Se lavan bien los fresones, se escurren y se trocean.

2 En un bol, se disuelve el edulcorante con el vinagre de jerez.

3 Se deja que macere todo durante unas horas en la nevera, para dar más cuerpo, aroma y sabor a la fruta.

* Existen en el mercado distintos tipos de vinagres, desde los varietales (jerez, etc.) a los aromatizados con cereza, frambuesas, etc., que realzan el sabor de los distintos platos.

Fresas con leche

👤	**4 personas**
🕐	**15 minutos**
👨‍🍳	**Fácil**
$	**Medio**
⚖	**120 calorías**
🥄	**Recomendable**

600 g de fresas
1/2 l de leche
50 g de nata sin azúcar
1 pizca de canela en polvo

1 Se lavan bien los fresones

2 A continuación, se secan y se trocean.

3 Seguidamente, se disponen en boles individuales.

4 Se reparte la leche en los boles y se pone un poco de nata en cada uno.

5 Se espolvorea con canela.

6 Finalmente, se deja macerar en la nevera durante un par de horas para que de esta manera los fresones cojan más sabor y para que la leche adquiera un color rosado.

Fresones al vino sin azúcar

👤	**4 personas**
🕐	**15 minutos**
👨‍🍳	**Fácil**
$	**Económico**
⚖	**120 calorías**
🥄	**Recomendable**

600 g de fresones
1-2 cucharadas de edulcorante
1/4 l de vino dulce

1 Se limpian los fresones con mucho cuidado en el chorro de agua del grifo, y se trocean.

2 En un bol, se disuelve el edulcorante con el vino.

3 Para terminar, se colocan los fresones en una fuente honda con el vino. Se deja que maceren durante un par de horas en la nevera antes de servir.

Macedonia sin azúcar

☺	**4 personas**
⏱	**15 minutos**
♥	**Muy fácil**
$	**Económico**
⚖	**100 calorías**
✍	**Recomendable**

2 manzanas
4 peras
1 melón
200 g de uva blanca
1 vasito de ron
2 naranjas
1 limón

1 En primer lugar, se pelan las manzanas, las peras y el melón, y se cortan en daditos.

2 La uvas también se pelan y se les quita las pepitas.

3 Seguidamente, se exprimen las naranjas y el limón, y se mezcla el zumo con el ron.

4 Por último, se dispone la fruta en una fuente, y se riega con la mezcla anterior.

* Al cubrir las frutas con este zumo, se evita que se oscurezcan.

Macedonia al chocolate para diabéticos

☺	**4 personas**
⏱	**30 minutos**
♥	**Fácil**
$	**Económico**
⚖	**110 calorías**
✍	**Consumo esporádico**

200 g de fresas
2 manzanas
2 peras
2 plátanos
4 naranjas
400 g de chocolate para diabéticos
1/4 l de leche

1 Para preparar el chocolate, en primer lugar se calienta la leche hasta que comienza a hervir.

2 En ese momento, se rebaja el fuego, se incorpora el chocolate (en polvo o rallado) y se remueve con una batidora para que se disuelva bien y evitar que se pegue. A continuación, se retira del fuego.

3 Se lavan, se pelan y se cortan las frutas en dados pequeños. Se disponen en copas individuales, y se mantienen en la nevera hasta la hora de servir.

4 En ese momento, se riegan con el chocolate caliente.

Macedonia a la crema

👤	**4 personas**
🕐	**30 minutos**
👒	**Muy fácil**
$	**Económico**
⚖	**90 calorías**
✀	**Recomendable**

4 melocotones
2 manzanas
2 peras
2 naranjas
1/2 l de leche
5 yemas de huevo
1 cucharadita de edulcorante
1 ramita de menta fresca

1 Primeramente, se prepara la crema inglesa, calentando a fuego muy bajo la leche y mezclándola con las yemas batidas y edulcoradas. Se añaden las hojas de menta y se va removiendo lentamente hasta que empieza a espesar.

2 En ese momento, se retira del fuego y se enfría rápidamente en el frigorífico; se deja la menta para que acabe de perfumar la crema.

3 Seguidamente, se lavan, se pelan y se trocean las frutas para la macedonia.

4 Se disponen en copas individuales, y se riegan con la crema inglesa. Se pueden adornar con hojitas de menta fresca.

Mandarinas al coco

👤	**4 personas**
🕐	**20 minutos**
👒	**Fácil**
$	**Medio**
⚖	**90 calorías**
✀	**Recomendable**

8 mandarinas
1-2 cucharaditas de edulcorante
200 g de coco rallado
1/4 l de agua

1 En primer lugar, se mezclan en un cazo el agua, el edulcorante y el coco rallado.

2 Después, se lavan y se pelan con mucho cuidado las mandarinas, retirando todas las fibras blancas, pero sin separar los gajos.

3 Seguidamente, se dispone la fruta en una fuente o bol, y se riega con la mezcla dulce.

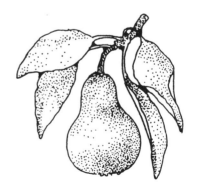

Manzanas asadas para diabéticos

👤	**4 personas**
🕐	**15 minutos**
👨‍🍳	**Muy fácil**
$	**Económico**
⚖	**60 calorías**
	Recomendable

4 manzanas
1 pizca de margarina por pieza
1 vasito de vino rancio

1 Se lavan las manzanas. Con un cuchillo, se agranda ligeramente el hoyo superior de cada pieza.

2 Seguidamente, se reparte un poco de margarina en cada hoyuelo. Se disponen las manzanas en una bandeja de hornear y se riegan con el vino.

3 Se calienta el horno a 180 °C, y se introduce en él la fuente, a la que añadiremos una cucharada de agua por cada manzana.

4 Es importante controlar que no se resequen, añadiendo más agua en el fondo de la bandeja cuando se requiera. Asimismo, hay que vigilar que no se agrieten, y para ello se bajará la temperatura del horno si fuera necesario.

Manzanas a la crema de kiwi

👤	**4 personas**
🕐	**15 minutos**
👨‍🍳	**Fácil**
$	**Económico**
⚖	**90 calorías**
	Consumo esporádico

4 kiwis
4 manzanas grandes
4 cucharaditas de miel

1 Se lavan, se pelan y se trocean los cuatro kiwis y dos manzanas.

2 Se baten los kiwis, los trozos de las dos manzanas y la miel.

3 Se cortan las otras dos manzanas en daditos, y se colocan en copas

4 Se cubren las copas con la crema antes preparada, y se sirve este postre bien frío.

Manzanas a la menta

👤	**4 personas**
🕐	**20 minutos**
👨‍🍳	**Fácil**
$	**Económico**
⚖	**100 calorías**
✑	**Recomendable**

4 manzanas
1-2 cucharaditas de edulcorante
1/2 l de agua
1 limón
1 ramita de menta

1 Se pone a calentar el agua con la menta y el edulcorante a fuego medio. Se reservan unas hojitas de menta para decorar el postre.

2 Cuando comienza a hervir, se retira del fuego y se reserva tapado.

3 Mientras, se lavan, se pelan y se cortan las manzanas en rodajas de medio centímetro de grosor aproximadamente, y se riegan con el jugo del limón.

4 Por último, se colocan las rodajas de manzana en copas anchas, se riegan con el jarabe y se adornan con las hojitas de menta fresca que se han reservado.

Manzanas al Priorato

👤	**4 personas**
🕐	**15 minutos**
👨‍🍳	**Fácil**
$	**Medio**
⚖	**110 calorías**
✑	**Consumo esporádico**

1 kg de peras
1 l de vino del Priorato
4 cucharaditas de miel
1 ramita de canela

1 Se lavan y se pelan bien las manzanas, y se dejan enteras.

2 A continuación, se colocan en una cacerola junto con el vino, la miel y la canela en rama.

3 Se lleva a ebullición a fuego lento unos minutos, hasta que se logra un buen almíbar y las frutas alcanzan el color morado del vino.

4 Se deja reposar este postre en la nevera un par de horas.

5 Se sirve cuando está bien frío.

Mezcla canaria

👤	**4 personas**
🕐	**10 minutos**
👨‍🍳	**Muy fácil**
$	**Económico**
⚖️	**80 calorías**
🔪	**Recomendable**

6-8 plátanos
1/2 l de leche
2 yogures naturales
2 cucharaditas de edulcorante
Canela en polvo

1 En primer lugar, se pelan y se trocean los plátanos, y se colocan en una batidora junto con la leche, el edulcorante y el yogur.

2 Seguidamente, se bate y se sirve en copas, espolvoreando con la canela por encima.

Mousse de castañas para diabéticos

👤	**4 personas**
🕐	**40 minutos**
👨‍🍳	**Fácil**
$	**Económico**
⚖️	**240 calorías**
🔪	**Consumo esporádico**

300 g de puré de castañas
2 hojas de gelatina
300 g de nata montada sin azúcar
2 cucharaditas de edulcorante
1 vasito de coñac
Chocolate para diabéticos, rallado
1 vasito de agua

1 El puré de castañas se comprará en conserva en una tienda especializada en alimentos para diabéticos, para simplificar la receta. El chocolate, a su vez, se comprará rallado.

2 En un cazo a fuego medio se disuelve la gelatina con el vasito de agua, el edulcorante y el coñac.

3 A continuación, se incorpora al cazo el puré de castañas, se mezcla bien y se pone todo a enfriar en la nevera durante 5 minutos.

4 Transcurrido este tiempo, se incorpora a esta mezcla la nata montada, se reparte en copas individuales y se refrigera durante unas 5 horas.

5 Antes de servir, se adorna espolvoreando el chocolate rallado.

Mousse de peras

👤	**4 personas**
🕐	**30 minutos**
🍳	**Fácil**
$	**Económico**
⚖️	**100 calorías**
📎	**Recomendable**

8 peras
4 cucharadas de zumo de limón o de
naranja
1-2 cucharaditas de edulcorante
2 claras de huevo
Sal

1 En primer lugar, se pelan las peras, se rallan y se mezclan con el jugo de limón. Se añade el edulcorante y la sal.

2 Se deja que se enfríen en la nevera durante un par de horas. Antes de servir, se montan las claras a punto de nieve.

3 Por último, se incorporan con delicadeza las claras montadas al preparado de peras y se dispone en copas.

Mousse de peras sin azúcar

👤	**4 personas**
🕐	**50 minutos**
🍳	**Muy fácil**
$	**Medio**
⚖️	**160 calorías**
📎	**Recomendable**

6 peras medianas
1-2 cucharaditas de edulcorante
250 g de nata montada sin azúcar
1 vasito de agua

1 Primeramente, se lavan, se pelan y se trocean las peras.

2 A continuación, se ponen en un cazo con un vasito de agua y el edulcorante. Se deja que cuezan a fuego medio 15-20 minutos.

3 Transcurrido este tiempo, se hace un puré pasándolas por la batidora.

4 Se enfría el puré en la nevera durante dos horas.

5 Para terminar, se mezcla con la nata montada, se enfría de nuevo en la nevera y se sirve.

* Conviene que las peras estén bien maduras, para que proporcionen el sabor adecuado a este postre.

Mousse rosa para diabéticos

👤	**4 personas**
🕐	**60 minutos**
👨‍🍳	**Fácil**
$	**Económico**
⚖️	**180 calorías**
✂️	**Recomendable**

300 g de fresas
2 cucharaditas de edulcorante
4 yogur naturales
2 claras de huevo
2 hojas de gelatina
2 cucharaditas de miel
1 vasito de agua

1 Se lavan las fresas y se trocean.

2 En un cazo, se disuelve el edulcorante con la gelatina y el agua a fuego medio. Seguidamente, se pone en la batidora.

3 Se bate junto con las fresas, hasta formar un puré; se incorporan los yogures.

4 En un bol, se montan las claras a punto de nieve y, justo antes de que terminen de montarse, se endulzan con la miel.

5 Finalmente, se mezclan cuidadosamente con el puré, se disponen en copas individuales y se enfrían en la nevera durante un par de horas.

Pastel de granadas sin azúcar

👤	**4 personas**
🕐	**40 minutos**
👨‍🍳	**Fácil**
$	**Medio**
⚖️	**220 calorías**
✂️	**Consumo esporádico**

4 granadas
200 g de nata líquida sin azúcar
12 bizcochos para diabéticos
1 vasito de aguardiente
Edulcorante líquido

1 Se cubre la base y los laterales de un molde de tarta con los bizcochos.

2 Seguidamente, se lavan y se pelan las granadas cuidadosamente, para evitar que queden restos de la pielecilla blanca, pues daría un cierto amargor al postre. Se pasa la mitad de los granos por la licuadora.

3 A continuación, se mezcla el jugo licuado con el aguardiente, y se empapan los bizcochos.

4 Se bate la nata con el edulcorante, y se incorporan con delicadeza los granos de granada.

5 Finalmente, se rellena el molde con el batido y se coloca en nevera un par de horas antes de servir. Una vez frío, se desmolda.

Pastel de macedonia

👤	**4 personas**
🕐	**50 minutos**
🎩	**Fácil**
$	**Económico**
⚖	**120 calorías**
✎	**Consumo esporádico**

30 g de margarina
80 g de harina
2 claras
20 g de mermelada para diabéticos
1 cucharadita de edulcorante
8 cucharadas de leche desnatada
200 g de fresas
1 pera pequeña
1 manzana pequeña
1/2 bolsita de levadura,
La mondadura rallada de medio limón
150 g de pulpa de piña natural

1 En primer lugar, se lava la fruta, se pela y se corta en trozos pequeños.

2 En un recipiente, se mezclan la harina, la margarina, la levadura, el edulcorante, la mondadura, la leche y la mermelada, hasta obtener una pasta homogénea.

3 Seguidamente, se incorporan las claras a punto de nieve y la fruta en trocitos.

4 Para terminar, se pone la mezcla en una fuente ancha y se hornea a 200 °C durante una media hora.

Peras con crema inglesa

👤	**4 personas**
🕐	**15 minutos**
🎩	**Muy fácil**
$	**Económico**
⚖	**80 calorías**
✎	**Recomendable**

4 peras grandes
5 yemas de huevo
25 g de nata sin azúcar
1/2 l de leche

1 En un cazo, se calienta la leche a fuego lento. Mientras, se baten las yemas con la nata.

2 A continuación, y siempre a fuego muy bajo para evitar que cuaje el huevo, se añaden las yemas al cazo de la leche, y se remueve constantemente.

3 Cuando con la cuchara de madera se aprecia que la crema ha espesado lo suficiente, se retira del fuego, se vierte en una fuente y se deja que enfríe. Seguidamente, se termina de enfriar en la nevera.

4 Se lavan las peras cuidadosamente, se cortan en dados y se colocan en copas individuales. Se reservan también en la nevera.

5 Justo antes de servir, se rellenan las copas con la crema inglesa.

Peras con miel al ron

👤	**4 personas**
🕐	**15 minutos**
👨‍🍳	**Fácil**
$	**Económico**
⚖	**100 calorías**
✎	**Consumo esporádico**

4 peras grandes
4 cucharadas de miel
50 g de almendra tostada rallada
1 vasito de ron (opcional)

1 Se lavan las peras, y seguidamente, se pelan cuidadosamente.

2 Una vez hecho esto, se cortan en rodajas finas de aproximadamente medio centímetro de grosor. Esta operación se realiza mejor sobre un plato para poder aprovechar el jugo del corte.

3 A continuación, se disponen en una fuente plana y se riegan con la miel previamente mezclada con el jugo del corte y el vasito de ron.

4 Por último, se espolvorean con la almendra rallada.

Piña colada sin azúcar

👤	**4 personas**
🕐	**30 minutos**
👨‍🍳	**Fácil**
$	**Medio**
⚖	**160 calorías**
✎	**Consumo esporádico**

1 piña de 1 kg
6 huevos
2 cucharaditas de edulcorante
60 g de maicena
100 g de coco rallado
25 g de margarina vegetal
1 vasito de licor de coco

1 Se limpia y se trocea la piña. Seguidamente, se pasan los trozos por la licuadora hasta obtener medio litro de jugo. Se disuelve la maicena en el jugo de piña.

2 Aparte, se baten los huevos con el edulcorante. A continuación, se agrega el coco rallado y el licor. Por último, se mezcla con el jugo de piña y se vierte todo en un cazo.

3 A fuego lento, y siempre removiendo sin parar, se espesa la crema sin dejar que hierva.

4 Se enfría en la nevera, y ya puede servirse.

Pudín para diabéticos

👤	**4 personas**
🕐	**40 minutos**
👒	**Fácil**
$	**Económico**
⚖	**140 calorías**
✎	**Consumo esporádico**

1 plato sopero de harina de castaña
4 manzanas reinetas
1/2 plato sopero de pasas
Edulcorante líquido

1 Se lavan las manzanas y se cortan en rodajas; se cuecen en un poco de agua junto con las pasas.

2 Se cuela la fruta y se pone en una fuente de hornear. Se reserva el jugo.

3 A continuación, se cubre la fruta con la harina de castañas, se riega todo con el edulcorante y se introduce en el horno durante 20 minutos.

4 De vez en cuando, se vierte por encima algo del jugo de la cocción de las manzanas, para evitar que se reseque demasiado.

Pudín de plátano para diabéticos

👤	**4 personas**
🕐	**50 minutos**
👒	**Fácil**
$	**Económico**
⚖	**200 calorías**
✎	**Recomendable**

6 plátanos
1-2 cucharaditas de edulcorante
4 huevos
1/2 l de leche
1 vasito de cointreau
50 g de mantequilla

1 En primer lugar, se coloca una sartén a fuego medio con prácticamente toda la mantequilla.

2 Mientras, se pelan y se cortan en trocitos los plátanos, y se rehogan en la sartén durante 5 minutos.

3 Se riega todo con el cointreau y se añade el edulcorante. Se deja dos minutos más.

4 Transcurrido este tiempo, se pasa la mezcla por la batidora junto con los huevos y la leche, y se vierte en un molde previamente untado con el resto de la mantequilla.

5 Se hornea al baño maría a 180 °C durante 40 minutos.

Puré de dátiles sin azúcar

👤	**4 personas**
🕐	**15 minutos**
👨‍🍳	**Muy fácil**
$	**Económico**
⚖	**80 calorías**
✎	**Consumo esporádico**

8 dátiles dehuesados
1/2 taza de agua
8 rebanadas de pan tostado
1/4 l de leche
Canela en polvo
Unas gotitas de edulcorante

1 Se disponen en una cazuela los dátiles con el agua, y se deja que cuezan a fuego lento durante 10 minutos.

2 Mientras, se remojan las rebanadas de pan tostado con la leche en una fuente.

3 Terminada la cocción de los dátiles, se retiran del fuego y se escurren.

4 Seguidamente, se pasan por el pasapurés junto con las tostadas remojadas, el resto de la leche y unas gotitas de edulcorante si se considera necesario.

5 Se dispone en copas, y se espolvorea con la canela por encima.

Puré de melocotones con yogur

👤	**4 personas**
🕐	**15 minutos**
👨‍🍳	**Muy fácil**
$	**Económico**
⚖	**120 calorías**
✎	**Recomendable**

4 melocotones grandes
El jugo de 2 limones
1 cucharadita de edulcorante líquido
250 g de yogur desnatado

1 En primer lugar, se pelan los melocotones y se trituran junto con el limón y el endulzante.

2 Seguidamente, se añade a la mezcla el yogur desnatado.

3 Se remueve hasta conseguir una crema homogénea.

4 Se dispone en copas individuales, y se deja enfriar en la nevera durante 30 minutos.

5 Se sirve bien frío.

Queso fresco de Burgos

👤	**4 personas**
🕐	**5 minutos**
👨‍🍳	**Muy fácil**
$	**Económico**
⚖️	**60 calorías**
🌿	**Recomendable**

250 g de queso fresco de Burgos
Miel o edulcorante

Se trata de un manjar que no puede faltar en una dieta regular y saludable de cualquier persona. Es un queso bajo en grasas, de poco aporte calórico, con un apreciable contenido en proteínas de buena calidad y vitaminas necesarias para el mantenimiento de una óptima condición física. Puede endulzarse con miel, en casos de diabetes leve, o bien con edulcorantes sin azúcar, en situaciones que requieran un mayor control.

Sorbete al cava

👤	**4 personas**
🕐	**40 minutos**
👨‍🍳	**Fácil**
$	**Económico**
⚖️	**140 calorías**
🌿	**Recomendable**

4 naranjas
2 cucharaditas de miel
2 claras de huevo
1/2 l de agua
La piel de una naranja rallada
1 pizca de sal
1 copa de cava brut nature

1 En primer lugar, se lava y se ralla la piel de una naranja. Hecho esto, se exprimen todas.

2 A continuación, se pone un cazo en el fuego con el agua y la miel, y se deja que cueza durante unos 10 minutos a fuego medio.

3 Trancurrido este tiempo, se retira el cazo del fuego, se vierte su contenido en un recipiente hondo y se mezcla con el jugo de naranja y la ralladura. Se enfría en el congelador.

4 Aparte, se baten unas claras a punto de nieve con una pizca de sal hasta que queden bien firmes.

5 Cuando empieza a congelarse el preparado, se mezcla con las claras y con la copa de cava. Se deja que se termine de congelar antes de servir.

Sorbete de limón

👤	**4 personas**
🕐	**40 minutos**
👨‍🍳	**Fácil**
$	**Económico**
⚖️	**140 calorías**
🪶	**Recomendable**

4 limones
2 cucharaditas de miel
2 claras de huevo
1/2 l de agua
La piel de un limón rallada
1 pizca de sal

1 En primer lugar, se exprimen los limones.

2 Seguidamente, se dispone un cazo en el fuego con el agua y la miel, y se deja que cueza unos 10 minutos a fuego medio.

3 A continuación, se baten las claras a punto de nieve con una pizca de sal hasta que queden bien firmes.

4 Se retira el cazo del fuego, se coloca en un recipiente hondo y se mezcla con el jugo de limón y la ralladura.

5 Se enfría en el congelador. Cuando empieza a congelarse, se retira del congelador y se bate con las claras.

6 Finalmente, se congela de nuevo hasta el momento de servir.

Tarta de otoño

👤	**4 personas**
🕐	**40 minutos**
👨‍🍳	**Difícil**
$	**Medio**
⚖️	**160 calorías**
🪶	**Consumo esporádico**

300 g de uvas blancas
1 lámina de pasta quebrada
1 huevo
100 g de almendras picadas
1 vaso de leche de almendras
3 cucharadas de jerez dulce
1 cucharada de harina

1 En primer lugar, se coloca la lámina de pasta en un molde de tarta y se introduce en el horno a 160 °C.

2 Se recubre con papel de aluminio, que se ha de ajustar bien para evitar que se queme por su cara interna. A los 10 minutos, se saca del horno.

3 A continuación, se lavan las uvas y se quitan las pepitas. Se colocan en la tartera.

4 Seguidamente, se bate el huevo junto con la leche de almendras, la harina, las almendras y el jerez.

5 Se vierte el batido sobre las uvas, de tal manera que queden todos los granos al mismo nivel y bien cubiertos.

6 Se hornea a 180 °C durante media hora.

Tatín de frutas

👤	**4 personas**
🕐	**100 minutos**
👨‍🍳	**Difícil**
$	**Económico**
⚖	**120 calorías**
🪶	**Recomendable**

2 manzanas
2 peras
2 plátanos
1 limón
1 lámina de pasta quebrada
50 g de mantequilla
1 cucharadita de edulcorante
1/4 l de nata líquida sin azúcar

1 En primer lugar, se lavan y se pelan las frutas (las manzanas y las peras se cortan en cuartos, y los plátanos en rodajas de aproximadamente 1 cm de grosor). Se rocía todo con el jugo del limón.

2 En un molde de horno para tarta, se calienta a fuego lento la mantequilla y el edulcorante hasta que caramelice un poco.

3 A continuación, se retira el molde del fuego y se disponen en él los cuartos de manzana y pera como si fueran los radios de una rueda. Se cuece a fuego muy lento durante 1 hora.

4 Cuando estén listos, se calienta el horno a 200 °C. Se retira el molde del fuego, se intercalan los trozos de plátano, se desenrolla la lámina de pasta quebrada y se cubre con ella el molde, ajustando en el interior las frutas.

5 Se hornea durante 20 minutos.

Torta de almendras sin azúcar

👤	**4 personas**
🕐	**60 minutos**
👨‍🍳	**Fácil**
$	**Medio**
⚖	**240 calorías**
🪶	**Consumo esporádico**

300 g de almendras molidas
2 cucharaditas de edulcorante
1 piel rallada de limón
5 huevos
25 g de mantequilla
3 cucharadas de harina
Canela en polvo

1 Se mezclan en un bol las almendras picadas con la ralladura de limón, la harina y un pellizco de canela en polvo.

2 A continuación, se separan las yemas de las claras. Se baten las primeras con el edulcorante, y se mezclan con la base de almendras. Se amasa bien hasta obtener una pasta homogénea, y se pone a calentar el horno a 180 °C.

3 Seguidamente, se montan las claras a punto de nieve y, con suavidad, se incorporan a la preparación anterior.

4 Se unta con la mantequilla el fondo y las paredes del molde para la tarta, se rellena con la masa batida y se hornea durante 45-50 minutos.

5 Con un palillo, se comprueba que la torta ya está en su punto.

Salsas

Las salsas tienen la función de aderezar o aromatizar un plato. De esta manera, lo hacen más apetitoso, sabroso y apetecible. Por ello, su presencia debe ser frecuente en las recetas, pero siempre en cantidades pequeñas, ya que en su composición abundan los aceites, grasas, sales o azúcares, elementos básicos para realzar los sabores de los alimentos.

En este libro no se incluyen salsas con azúcar, pero hay que tener cuidado, pues esa misma salsa en un restaurante probablemente sí llevará este ingrediente.

Salsa ácida de manzana

👤	**4 personas**
🕐	**15 minutos**
🧑‍🍳	**Muy fácil**
$	**Económico**
⚖️	**120 calorías**
〰️	**Recomendable**

4 manzanas golden
1 yogur natural sin azúcar
1 cucharadita de edulcorante
2 cucharada de aceite de oliva virgen
Sal y pimienta

1 En un cazo, se rehoga la manzana pelada y troceada con el aceite durante 5 minutos.

2 A continuación, se añade el edulcorante. Se remueve lentamente, se añade el yogur y se salpimenta.

3 Por último, se retira del fuego y se pasa por la batidora.

4 Se enfría en nevera hasta la hora de servir.

5 Esta salsa acompaña muy bien las ensaladas y pescados fríos.

Salsa ali-oli

👤	**4 personas**
🕐	**15 minutos**
🧑‍🍳	**Muy fácil**
$	**Económico**
⚖️	**160 calorías**
〰️	**Recomendable**

2-3 dientes de ajo
1/4 l de aceite de oliva
Sal

1 Se pican los dientes de ajo con una pizca de sal.

2 A continuación, se va añadiendo lentamente el aceite a la picada y se bate, hasta que la salsa espesa.

Salsa andaluza

🧍	**4 personas**
🕐	**15 minutos**
👨‍🍳	**Muy fácil**
$	**Económico**
⚖️	**60 calorías**
🌾	**Recomendable**

100 g de aceitunas deshuesadas
6 rábanos
1 rebanada de pan
1 cucharada de aceite de oliva
2 cucharadas de vinagre
Sal y pimienta

1 En primer lugar, se limpian bien los rábanos y se pelan. Se cortan en trocitos pequeños, y se pasan por la batidora junto con las aceitunas.

2 Mientras, se remoja la rebanada de pan con el vinagre.

3 A continuación, se incorpora la rebanada, el aceite, el vinagre, la sal y la pimienta a la batidora, y se bate hasta que se forma una salsa homogénea.

4 Se sirve fría, como acompañamiento de carnes blancas o de pescado a la plancha o a la brasa.

Salsa besamel

🧍	**4 personas**
🕐	**15 minutos**
👨‍🍳	**Muy fácil**
$	**Económico**
⚖️	**110 calorías**
🌾	**Recomendable**

50 g de mantequilla
3/4 l de leche desnatada
2 cucharadas de aceite de oliva
2 cucharadas de harina
Nuez moscada
Sal y pimienta

1 En un cazo, se funden la mantequilla y el aceite. A continuación, se añade la harina, removiendo para evitar que se formen grumos.

2 Se salpimenta y se espolvorea la nuez moscada.

3 Seguidamente, se incorpora la leche desnatada muy lentamente y sin dejar de remover. Se deja que cueza a fuego medio unos 10-15 minutos.

4 Esta salsa resulta muy adecuada para condimentar pastas, verduras al horno, pescados y carnes blancas.

Salsa de calabacines

👤	**4 personas**
🕐	**15 minutos**
👨‍🍳	**Muy fácil**
$	**Económico**
⚖️	**80 calorías**
🌿	**Recomendable**

2 calabacines medianos
1 cucharada de harina
1 cucharada de aceite de oliva
25 g de mantequilla
Sal y pimienta

1 Se limpian, se pelan y se trocean los calabacines, y a continuación se pasan por la batidora.

2 En un cazo mediano, se ponen a calentar el aceite y la mantequilla; a continuación, se agrega la harina y los calabacines picados.

3 Se salpimenta y se lleva a ebullición a fuego lento, durante aproximadamente un par de minutos.

4 Antes de servir esta salsa, se pasa por un colador chino si los trocitos son demasiado grandes.

* Resulta ideal como acompañamiento de carnes blancas.

Salsa canaria

👤	**4 personas**
🕐	**15 minutos**
👨‍🍳	**Muy fácil**
$	**Económico**
⚖️	**80 calorías**
🌿	**Recomendable**

3-4 plátanos
100 ml de nata líquida
1 cucharadita de edulcorante
1 vasito de ron
Sal y pimienta

1 En un cazo, se pone la nata líquida a fuego medio con los plátanos troceados y el edulcorante.

2 A los 5 minutos, se riega con el ron y se salpimenta.

3 Se deja evaporar un par de minutos y, antes de servir, se pasa por la batidora.

Salsa cantonesa para diabéticos

👤	**4 personas**
🕐	**20 minutos**
👨‍🍳	**Muy fácil**
$	**Económico**
⚖	**140 calorías**
✎	**Recomendable**

1 cucharada de miel
1 vaso de jugo de tomate
1 naranja
2 cucharadas de vinagre
1 cucharada de salsa de soja
1 cucharada de harina
Sal y pimienta

1 Se coloca en un cazo la miel, el vinagre, la salsa de soja, el jugo de tomate y el de la naranja previamente exprimida. Se mantiene a fuego bajo.

2 A los 2 minutos, se añade la harina, removiendo continuamente para que no se formen grumos y la salsa quede bien homogénea.

3 Se deja que hierva, y luego se retira.

4 Se sirve caliente, como acompañamiento de carne de cerdo asada, ternera, etcétera.

Salsa de ciruelas

👤	**4 personas**
🕐	**15 minutos**
👨‍🍳	**Muy fácil**
$	**Económico**
⚖	**120 calorías**
✎	**Consumo esporádico**

1 vasito de leche
100 g de ciruelas pasas
1 patata pequeña hervida
1/4 l de aceite de oliva
1 vasito de vino dulce
1 pizca de nuez moscada
Sal y pimienta

1 El día anterior, se ponen las pasas a remojo en el vino.

2 Se colocan todos los ingredientes en la batidora, y se bate hasta que quede una salsa ligada y homogénea.

Salsa Cristina para diabéticos

👤	**4 personas**
🕐	**15 minutos**
🍲	**Muy fácil**
$	**Económico**
⚖	**90 calorías**
🌾	**Recomendable**

1 dl de vinagre
1 hoja de laurel
1 hoja de tomillo
1 guindilla
1 cucharada de harina
Sal y pimienta

1 En primer lugar, se pone en un cazo pequeño el vinagre, la guindilla, el laurel, el tomillo, la pimienta y un poco de sal, se lleva a ebullición y se deja que cueza durante unos minutos.

2 Se añade la harina, removiendo bien, y se mantiene a fuego lento un par de minutos más.

3 Finalmente, se pasa la salsa por un colador para retirar las hierbas. Si ha quedado demasiado espesa, puede aclararse con un poco de caldo vegetal.

Salsa de granadas

👤	**4 personas**
🕐	**15 minutos**
🍲	**Muy fácil**
$	**Económico**
⚖	**120 calorías**
🌾	**Recomendable**

2 granadas grandes y maduras
2 escalonias
3 cucharadas de aceite de oliva
1 cucharada de vinagre
1 vaso de jerez seco
Sal y pimienta

1 En primer lugar, se pelan bien las granadas, procurando quitar bien la pielecilla blanca que envuelve los granos, ya que daría un cierto amargor a la salsa.

2 Se pelan las escalonias, se pican y se rehogan en un cazo con el aceite a fuego lento durante 5 minutos.

3 A continuación, se añade el vino y los granos de fruta, y se deja que rehogue durante 10 minutos más.

4 Transcurrido este tiempo, se retira el cazo, se enfría y se vierte en él el vinagre.

5 Para terminar, se baten y se salpimentan todos los ingredientes, y se pasan por el chino.

Salsa integral

👤	**4 personas**
🕐	**15 minutos**
👨‍🍳	**Muy fácil**
$	**Económico**
⚖️	**110 calorías**
✂️	**Recomendable**

1 ramita de perejil
2 rebanadas de pan integral
3 cucharadas de aceite de oliva
50 g de aceitunas verdes deshuesadas
1 cucharada de vinagre
1 diente de ajo
1 clara de huevo duro
Sal y pimienta

1 Se lava el perejil y se pica junto con el ajo.

2 Mientras, se deja en remojo el pan con el vinagre.

3 Se colocan estos ingredientes en la batidora, y se incorporan las aceitunas, la sal, la pimienta, la clara de huevo y el aceite.

4 Se mezcla hasta conseguir que ligue la salsa. Se deja enfriar en la nevera una hora.

5 Esta salsa sirve para acompañar pescados fríos, carnes blancas frías, ensaladas, ensaladas de legumbres, patatas al vapor, etc.

Salsa del Maestrazgo

👤	**4 personas**
🕐	**15 minutos**
👨‍🍳	**Muy fácil**
$	**Económico**
⚖️	**160 calorías**
✂️	**Recomendable**

12 avellanas
1-2 rebanadas de pan duro
1 dl de aceite de oliva
1 cucharada de vinagre
Sal y pimienta

1 El día anterior se ponen las avellanas en remojo.

2 Para empezar, se empapa la miga de pan con el vinagre y se reserva en un platito.

3 Seguidamente, se colocan las avellanas en la batidora o en el mortero, junto con la sal, la pimienta y un chorrito de aceite.

4 Se bate todo y, de forma gradual, se agrega el resto del aceite y la miga de pan.

* Resulta muy adecuada como acompañamiento de pescado blanco.

Salsa de manzanas

👤	**4 personas**
🕐	**15 minutos**
👨‍🍳	**Muy fácil**
$	**Económico**
⚖	**100 calorías**
🍃	**Recomendable**

400 g de manzanas
1 vaso de leche
2 cucharaditas de miel
200 ml de nata líquida sin azúcar
1 vasito de vino blanco

1 Se pelan las manzanas.

2 Se cortan por la mitad y se ponen a asar en una cacerola a fuego lento con la nata líquida, la leche y la miel, durante unos 20 minutos.

3 Antes de que estén las manzanas cocidas y de retirar la cacerola del fuego se riega con el vino blanco.

4 A continuación, se pasa por la batidora.

* Resulta deliciosa para acompañar carnes rojas.

Salsa mayonesa

👤	**4 personas**
🕐	**15 minutos**
👨‍🍳	**Fácil**
$	**Económico**
⚖	**180 calorías**
🍃	**Consumo esporádico**

1 huevo
1/4 l de aceite de oliva
2 cucharadas de vinagre
1/2 limón (jugo)
Sal

1 Se coloca el huevo, el vinagre, el zumo de limón y la sal en la batidora, junto con un chorrito de aceite.

2 Se baten estos ingredientes, y se va añadiendo muy despacio el resto del aceite.

3 Se deja que se enfríe en la nevera un par de horas antes de servir.

Salsa de noviembre

👤	**4 personas**
🕐	**30 minutos**
👨‍🍳	**Fácil**
$	**Económico**
⚖	**90 calorías**
✂	**Recomendable**

300 g de boniatos
50 g de mantequilla
2 cucharadas de miel
100 ml de nata líquida
1 vaso de caldo vegetal
Sal y pimienta

1 Se cuecen los boniatos sin pelar, durante 20 minutos.

2 Una vez cocidos, se pelan y se colocan junto con la mantequilla, el caldo, la nata líquida y la miel en una cacerola a fuego medio.

3 Se dejan 5 minutos más, se rectifica la sal y la pimienta y ya está lista la salsa.

Salsa de pasas y piñones

👤	**4 personas**
🕐	**15 minutos**
👨‍🍳	**Muy fácil**
$	**Económico**
⚖	**110 calorías**
✂	**Recomendable**

50 g de piñones
50 g de pasas
1 diente de ajo
1 hoja de tomillo
1 cucharada de aceite de oliva
25 g de margarina vegetal
1 cucharada de leche
Sal y pimienta

1 Se pican los piñones en un mortero junto con el ajo, las pasas y una pizca de tomillo.

2 Se incorpora gradualmente la leche bien fría y el aceite.

3 Una vez que se ha formado una salsa homogénea, se coloca en una cazo junto con la margarina y se salpimenta al gusto.

4 Se lleva a ebullición a fuego lento durante un par de minutos.

* Esta salsa resulta ideal como acompañamiento de carnes rojas.

Salsa roja

👤	**4 personas**
🕐	**15 minutos**
♔	**Fácil**
$	**Económico**
⚖	**80 calorías**
✎	**Recomendable**

300 g de remolacha
50 g de mantequilla
1 cucharada de harina
1-2 cucharaditas de mostaza
1 vaso de agua caliente
Unas gotas de vinagre
Sal y pimienta

1 Se lava la remolacha y se corta en juliana.

2 En un cazo a fuego medio se funde la mantequilla, y se rehoga en ella la remolacha durante 5 minutos.

3 Seguidamente, se añade la harina y el agua caliente, y se remueve con la cuchara de madera para que no se formen grumos.

4 Cuando rompe a hervir, se retira del fuego; se incorpora la mostaza, la sal y unas gotitas de vinagre al gusto, y se remueve unos minutos para que ligue bien.

5 Esta salsa debe servirse de inmediato. Acompaña muy bien las ensaladas y verduras.

Salsa romesco

👤	**4 personas**
🕐	**15 minutos**
♔	**Fácil**
$	**Económico**
⚖	**120 calorías**
✎	**Recomendable**

2 pimientos rojos asados
2 tomates asados
40 g de almendras tostadas
2 dientes de ajo
1 cucharada de vinagre
2 cucharadas de aceite de oliva
1 guindilla
Sal

1 En primer lugar, se trocean los pimientos y los tomates, se les quita bien las semillas y se ponen en la batidora.

2 Se incorporan también las almendras, el ajo finamente picado, la guindilla, el aceite, la sal y el vinagre.

3 A continuación, se bate todo hasta formar una salsa homogénea

4 Se deja reposar en la nevera durante 10 horas.

5 Antes de servir, se remueve bien el preparado y se pasa por un colador.

6 Esta salsa es muy recomendable para acompañar mariscos, ensaladas y pescados.

Salsa de tomate

👤	**4 personas**
🕐	**15 minutos**
👒	**Muy fácil**
$	**Económico**
⚖️	**120 calorías**
✍️	**Recomendable**

400 g de tomates maduros
1 rebanada de pan integral
1 dl de aceite de oliva
Unas gotas de vinagre
Sal

1 Se lavan, se pelan y se trocean los tomates, retirando las semillas. Seguidamente, se trituran con un tenedor o con la batidora.

2 Mientras, se deja en remojo el pan con el vinagre.

3 En una cacerola se pone a calentar el aceite, y se agrega el tomate triturado y la sal, removiendo de vez en cuando.

4 Se deja que cueza unos 20 minutos. Unos instantes antes de terminar la cocción, se incorpora el pan triturado con un tenedor.

5 Esta salsa resulta ideal para acompañar arroces, patatas o pastas.

Salsa de tomate al jerez

👤	**4 personas**
🕐	**15 minutos**
👒	**Muy fácil**
$	**Económico**
⚖️	**90 calorías**
✍️	**Recomendable**

400 g de tomate
100 ml de nata líquida
1 vasito de jerez seco
1 vaso de agua
1 ramillete de mejorana, hinojo y tomillo
Sal y pimienta

1 En primer lugar, se coloca el tomate pelado y triturado en una cacerola junto con el ramillete de hierbas aromáticas y un vaso de agua.

2 Se rehoga a fuego medio durante 5 minutos.

3 A continuación, se añade la nata líquida y el vasito de jerez, y se salpimenta al gusto.

4 Transcurridos un par de minutos, se pasa por el pasapurés.

5 Se puede añadir un poco de caldo en el caso de que la salsa hubiera quedado demasiado espesa.

Salsa torinese

👤	**4 personas**
🕐	**50 minutos**
🍲	**Fácil**
$	**Económico**
⚖️	**120 calorías**
✂️	**Recomendable**

4 tomates maduros
1 cebolla pequeña
1 pimiento verde
1 ramita de apio
1 dl de aceite de oliva
1 vasito de vinagre de Módena
Orégano y salvia
Sal

1 Se limpian y se pelan bien las hortalizas (retirando las semillas del tomate) y se trocean.

2 Seguidamente, se ponen la cebolla y el pimiento en una cacerola con el aceite a fuego medio.

3 Al cabo de un par de minutos, se añaden las hierbas y, cuando la cebolla esté dorada, se riega con el vinagre.

4 Por último, se incorporan a la cocción el apio y el tomate. Se deja a fuego no muy vivo una media hora.

5 Si los trozos de cebolla o de tomate son demasiado grandes, se pasa por el chino. Se sirve con acompañamiento de arroces y pastas.

Salsa vinagreta

👤	**4 personas**
🕐	**15 minutos**
🍲	**Muy fácil**
$	**Económico**
⚖️	**160 calorías**
✂️	**Recomendable**

12 alcaparras en conserva
6 cucharadas de aceite de oliva
2 cucharadas de vinagre
Sal

1 Se trituran las alcaparras en un mortero.

2 A continuación, se añade la sal y se amasa con el vinagre.

3 Seguidamente, se incorpora el aceite de forma gradual.

4 Esta salsa puede acompañar muchos platos fríos: legumbres, espárragos, ensaladas o pescados blancos.

Samfaina barcelonés

🧍	**4 personas**
🕐	**50 minutos**
👨‍🍳	**Fácil**
$	**Económico**
⚖️	**140 calorías**
🌿	**Recomendable**

4 tomates
1 berenjena
1 cebolla mediana
1 pimiento rojo
1 pimiento verde
1 diente de ajo
4 cucharadas de aceite de oliva
1 hoja de laurel
1 ramita de perejil
Sal

1 Primeramente, se lavan, se pelan y se cortan las hortalizas en dados. Se quitan bien las semillas de los tomates.

2 A continuación, se pela el diente de ajo y se pica el perejil.

3 En una cacerola mediana se pone el aceite, la cebolla y los pimientos a fuego no muy alto durante 15 minutos, al término de los cuales se incorpora la berenjena.

4 Pasados un par de minutos, se añade el ajo, el perejil, los tomates, la hoja de laurel y la sal. Se deja cocer 20 minutos.

5 Esta salsa resulta muy indicada para carnes blancas y pescado azul.

Vinagreta de frutas

🧍	**4 personas**
🕐	**15 minutos**
👨‍🍳	**Muy fácil**
$	**Económico**
⚖️	**170 calorías**
🌿	**Recomendable**

2 naranjas enteras
2 manzanas ácidas
1 cucharada de edulcorante
1 dl de aceite de oliva
1 cucharada de vinagre
Sal y pimienta

1 En primer lugar, se pelan y se trocean las frutas (las naranjas se cortan sobre un plato para no perder el jugo).

2 A continuación, se pasan todos los ingredientes por la batidora hasta conseguir una salsa homogénea.

3 Finalmente, se pasa por el pasapurés para eliminar las fibras.

4 Esta salsa es el acompañamiento ideal para aves asadas.

Menús